“Vous avez l’esprit de clocher, Monsieur!”

“Je ne vois pas pourquoi vous critiquez tant les Londoniens. Ils sont comme les gens d’ici,” fit Laura, agacée.

“Comment se fait-il alors que vous ne trouviez pas d’amis dans la région?” demanda Jack, insinuant. “Si vous me permettez un conseil, vous devriez sortir davantage.”

“Je préférerais que vous gardiez vos conseils pour vous! Je ne suis pas sous vos ordres, moi!”

”Je n’essaie pas de vous donner des ordres, mais simplement de vous aider.”

Pourquoi éprouvait-elle une antipathie pour cet homme qu’elle ne connaissait d’ailleurs qu’à travers son père?

DANS COLLECTION HARLEQUIN

Rachel Lindsay

est l'auteur de

17—A SON CŒUR DEFENDANT
45—L'INCROYABLE RETOUR
112—EMERAUDE ET DIAMANT ROSE

Ces titres sont disponibles chez votre dépositaire.

Au prix de son amour

par

RACHEL LINDSAY

Harlequin Romantique

PARIS • MONTREAL • NEW YORK • TORONTO

Publié en juin 1981

ISBN 0-373-41054-9

Dépôt légal 2e trimestre 1981
Bibliothèque nationale du Québec et Bibliothèque nationale du Canada.

Imprimé au Canada—Printed in Canada

1

Laura Winters jeta un coup d'œil à la pendule posée sur son bureau et poussa un soupir de soulagement. Dans une demi-heure, elle serait libre. Elle rentrerait chez elle, loin de l'atmosphère fiévreuse du bureau.

— Un coup de pompe? interrogea une voix.

Et, levant les yeux, elle aperçut une jeune infirmière perchée sur le coin de la table.

— Etant donné mes horaires, je devrais être partie d'ici depuis dix minutes, répliqua Laura.

— Alors, qu'est-ce qui te retient? s'étonna Jill Hayes.

— Ma bêtise! Elaborer des menus de régime, commander les repas, tout contrôler, deux jours par semaine, c'est un travail à plein temps quand on n'est pas cuisinier.

— Ça t'apprendra à l'avoir proposé, rétorqua Jill. L'infirmière en chef ne te permettra pas d'abandonner, à présent. Te voilà cuisinière d'office chaque fois que Maria déserte la cuisine!

— Je ne pouvais quand même pas laisser les malades mourir de faim!

— Comment crois-tu que ça se passait avant ton arrivée? L'infirmière-chef prenait une remplaçante. Et c'est ce qu'elle aurait fait cette fois-ci, si tu n'avais pas fait la maligne!

— J'aime vraiment la cuisine, avoua Laura.

— Les malades aussi. Ils savent toujours quand tu t'en occupes. C'est tout juste si Lady Bartlett ne lèche pas son assiette!

— Une assiette vide, c'est tout ce qu'elle aura pendant les dix prochains jours, déclara sèchement Laura. Elle a six kilos à perdre.

— Elle aurait dû aller dans une de ces cliniques spécialisées pour les gens riches, au lieu de venir se faire dorloter ici, décréta Jill d'un ton méprisant.

— Tu es de mauvaise foi, Jill. Lady B est dans un état cardiaque critique et n'a pas seulement besoin qu'on la dorlote.

La jeune infirmière rougit sous la réprimande :

— Tu es bien sévère, aujourd'hui!

— Désolée, répliqua vivement Laura. Ça m'arrive souvent en fin de semaine.

Elle jeta un nouveau coup d'œil à la pendule.

— Il faut que je me sauve, sinon je ne pourrai pas faire mes courses, lança-t-elle.

Elle se leva et se passa les mains dans les cheveux; d'un brun-acajou, ils mettaient remarquablement en valeur ses yeux d'un bleu profond et son teint velouté.

— Tu es bien trop séduisante pour être diététicienne, fit observer Jill. Si j'avais ta beauté et ta silhouette, je serais mannequin.

— Ça m'ennuierait à mourir.

— Pas si tu devenais mannequin-vedette. Tu rencontrerais trop de gens passionnants pour arriver à t'ennuyer.

— Par « des gens », je suppose que tu veux dire « des hommes »?

— De quoi veux-tu que je parle!

— Les hommes ne m'intéressent pas, affirma Laura. Du moins pas dans l'immédiat.

— Pourquoi donc?

— Parce que j'ai consacré trop de temps aux études pour tout abandonner en me mariant.

— Rien ne te forcerait à abandonner. Ton mari apprécierait sûrement ta contribution au budget familial.

— Il faudrait bien que j'arrête à la naissance de mes enfants. J'ai vu ce qui arrive aux femmes quand elles essaient de s'en sortir avec un travail en plus du reste.

— Tu es trop pessimiste, décréta Jill. Quand tu tomberas amoureuse, toutes tes théories s'envoleront en fumée!

— Quant à moi, je vais m'envoler... par la porte, déclara Laura en allant dans cette direction. Si je ne me presse pas, les boutiques seront fermées.

— Les boutiques de mode?

— Non, d'alimentation.

— Essaie donc le nouveau traiteur, à côté de Woolworth. Il a un délicieux pâté de porc.

Laura s'arrêta net :

— Le jour où je donnerai à mon père des pâtés tout préparés, je démissionne et je rends mon diplôme!

— Toi et ta cuisine-maison, ironisa Jill. Eh bien, ne me laisse pas te détourner de tes fourneaux.

Quelques minutes plus tard, Laura avait quitté la clinique et parcourait d'un pas rapide le petit supermarché où elle faisait toujours ses courses. Tournant le dos aux produits surgelés, elle choisit des côtes d'agneau et des haricots frais, avec la pensée amère que son père se serait aussi bien contenté de fromage et de petits oignons au vinaigre. Livré à lui-même, c'est sûrement ce qu'il aurait choisi, puis il se serait sans doute demandé pourquoi il se réveillait la nuit avec des brûlures d'estomac. Tout brillant ingénieur qu'il fût, rien de ce qu'elle disait ne pouvait lui faire comprendre que le corps constituait la construction la plus complexe au monde; une construction qui méritait largement les mêmes soins qu'il prodiguait à ses machines, entre les murs de l'usine! L'entreprise Grantley était devenue son souci majeur, surtout depuis qu'il était veuf. Elle se demandait même quelle place elle occupait avec son frère jumeau, Tim, dans l'échelle de ses affections. Mais en fin de compte, c'était sans doute une bénédiction : sans la société, son père ne se serait peut-être jamais remis de la disparition brutale de sa mère. Aujourd'hui encore, Laura ressentait amèrement le coup du destin qui, sous la forme d'un chauffard ivre, l'avait privée de la seule personne à qui elle ait pu se confier.

Ecartant cette pensée, elle se dirigea vers le métro, où elle resta debout pendant les six stations jusqu'à Belsize Park et se demanda quel effet cela faisait à Tim de vivre dans une petite ville des Midlands. Au moins, il pouvait se rendre à pied à son travail et n'avait pas à affronter la bousculade des heures de pointe!

— Plus de sœur pour jouer les mères poules!

Tel avait été le commentaire de son père lorsque Tim avait quitté la maison Grantley pour accepter un poste chez son plus gros concurrent.

— Tu le gâtes autant que ta mère le faisait. En vous voyant agir, on ne croirait jamais que vous êtes jumeaux.

— Les femmes sont toujours plus mûres que les hommes!

— Ce n'est pas ce que je voulais dire. Tu le sais très bien. Tim comptait trop sur toi. Il était temps pour lui d'apprendre qu'il ne se trouvera pas toujours quelqu'un pour l'aider s'il a des ennuis.

— Mais il n'a pas eu d'ennuis, avait-elle répliqué. Simplement, il n'a jamais eu beaucoup le sens de l'argent.

— Alors, il est temps qu'il s'y mette. Ce ne sont pas des mots en l'air, Laura. Tim doit voler de ses propres ailes.

Il y avait eu dans la voix de son père une intonation qu'elle n'avait pas comprise, mais, malgré ses questions, il était resté évasif, répétant qu'il était bon pour Tim de travailler loin de la maison, et de remplir une fonction qui ne se trouvait pas sous l'autorité de son père.

Absorbée dans ses pensées sur Tim, elle vit à peine le temps passer et seul l'instinct de l'habitude lui fit lever les yeux au moment où le train arrivait à destination.

Humant l'air frais, elle s'achemina à travers les rues bordées d'arbres jusqu'à la petite impasse où elle vivait, et s'arrêta brusquement quand elle vit la voiture de son père devant la maison qu'ils partageaient avec six autres locataires. Depuis des mois, il n'était pas rentré chez eux le premier et, convaincue qu'il était malade, elle monta en hâte jusqu'au dernier étage.

Son père était assis dans le salon, en train de lire le journal du soir. Un coup d'œil sur son visage suffit à dissiper les craintes de Laura. Les cernes sombres, sous ses yeux, ne s'étaient pas atténués, mais ses traits fins étaient illuminés par une vive excitation qui le rajeunissait de dix ans, rappelant l'homme qu'il avait été avant la mort de sa mère.

— On dirait que tu as gagné le tiercé, s'exclama-t-elle.

Elle posa son panier à provisions et alla vers lui.

— C'est tout comme, reconnut-il. A mes yeux, du moins.

Comme toujours, sous le coup de l'exaltation, il se mettait à rouler plus fortement les « r », quoique les années passées à Londres aient atténué cet accent qui rappelait à Laura son enfance.

— Tu ferais mieux de me raconter de quoi il s'agit, le taquina-t-elle. Si tu persistes à garder ton secret, ton accent va devenir tellement fort que je ne pourrai plus te suivre!

— J'ai été promu, lança-t-il. La maison Grantley monte une nouvelle usine pour la production d'équipement électronique et la direction m'a demandé de me charger de la partie technique.

— C'est merveilleux.

Les larmes serraient la gorge de Laura.

— Il n'était que temps qu'ils reconnaissent tes mérites.

Elle se dirigea vers le buffet, en sortit une bouteille de sherry et deux verres.

— Si on buvait quelque chose pour fêter ça?

Après avoir extrait de sa poche une bourse de cuir patinée par l'usage, John Winters se mit à bourrer méthodiquement sa pipe.

— Pas de sherry pour moi, jeune fille. Je prendrai plutôt une bière.

Avec un sourire, Laura se rendit à la cuisine, petite mais bien conçue, et en revint avec une canette de bière. Quand elle eut fini de lui remplir son verre, son père avait allumé sa pipe et tirait dessus avec satisfaction.

— De la bière, fit-elle avec un petit soupir. Honnêtement, papa, tu devrais être en train de boire du champagne. Chargé de la nouvelle usine... Je n'arrive pas à y croire.

— Je ne suis pas chargé de la nouvelle usine, corrigea-t-il. Seulement du côté technique de l'affaire.

— C'est le plus important.

— C'est important, concéda-t-il avec satisfaction. Je ne dis pas le contraire. Et puis ça me donne une chance de mettre en pratique quelques-unes de mes idées. Avec une usine déjà en place, ce ne serait pas aussi facile, mais cette entreprise dans le Yorkshire sera la plus moderne d'Europe et...

— Le Yorkshire! s'exclama Laura. Ils ne t'envoient pas *là-bas?*

— Tu parles comme si c'était la Sibérie!

— Ça en revient au même. Tu ne vas quand même pas t'exiler dans le Nord?

— C'est là-bas que je suis né.

— Mais tu vis à Londres depuis des années. Tu détesterais t'en aller.

— Est-ce une question ou une affirmation? demanda-t-il calmement.

— Je pensais énoncer un fait, répliqua Laura sur le même ton. Mais il semble que je sois dans l'erreur.

— Dans l'erreur, non, ma chérie; mais pas non plus dans le vrai.

Il se pencha en avant, serrant le fourneau de sa pipe dans le creux de sa main.

— Je ne me suis jamais beaucoup soucié de l'endroit où je vivais. Ma vie, c'était ma femme, ma famille, mon travail. Mais depuis le mort de ta mère, je me suis consacré à mon travail et je suis prêt à me rendre où il m'appelle.

— Tim et moi, nous sommes là, protesta Laura. Du moins je suis là et Tim reviendra à Londres. Il ne sera jamais heureux nulle part ailleurs.

— Laura, Laura... soupira son père. Crois-tu qu'en répétant toujours la même chose, tu en feras une réalité? Tim n'est pas prêt de revenir, et même s'il revenait, je ne crois pas qu'il voudrait vivre avec nous.

— Tu as encore le dernier mot, reconnut-elle vivement. Je sais que je ne peux pas remplacer maman, mais...

— Je ne le voudrais pas. Dans l'état actuel des choses, tu me consacres trop de temps. Tu devrais rencontrer davantage de gens de ton âge.

— J'ai des tas d'amis, décréta-t-elle. Si je ne sors pas tous les soirs, c'est parce que je préfère rester à la maison.

— Ce n'est pas vrai. Tu devrais t'intéresser à un homme jeune, plutôt qu'à ton père.

— Je n'ai pas trouvé d'homme plus séduisant que toi, le taquina-t-elle.

— Peut-être en trouveras-tu un à Eddlestone.

— Eddlestone?

— C'est là que se trouve l'usine. Manchester n'est pas loin. Tu pourrais voir Tim de temps en temps, pendant le week-end.

— Je n'ai jamais entendu parler d'Eddlestone.

— Ça viendra, affirma placidement son père. La nouvelle usine Grantley fera connaître l'endroit.

— Albert Schweitzer a rendu Lambaréné célèbre, mais il faudrait être un saint pour vivre là-bas.

A l'instant même où les mots passaient ses lèvres, Laura se rendit compte qu'elle aurait mieux fait de tenir sa langue, car le visage de son père changea de couleur, perdant à la fois sa bonne mine et sa joie.

— Je suis désolée, papa. Je ne voulais pas dire ça.

— Inutile de t'excuser, affirma-t-il gravement. Si je n'avais pas été aussi heureux de la chance qui m'est donnée, je me serais rendu compte que cet endroit n'est pas fait pour toi. Je ne te laisserai pas m'accompagner. Ce ne serait pas bien. Reste ici et partage l'appartement avec une de tes amies. Ainsi, tu auras une chance de vivre ta vie, comme Tim.

Cette pensée était tellement excitante que Laura n'osait même pas s'y attarder. A la mort de sa mère, elle s'était promis de toujours s'occuper de son père. Elle ne devait laisser aucune idée de liberté ou de facilité, la détourner de sa voie.

— Je serais malheureuse, si nous n'étions pas ensemble, déclara-t-elle. Et puis, je me ferais du souci pour toi.

— Je suis tout à fait capable de m'occuper de moi-même.

— Vraiment? Alors comment expliques-tu que tu puisses faire cuire un œuf pendant une heure, puis te demander pourquoi il n'est pas à la coque?

John Winters eut un rire bref et reprit aussitôt son sérieux :

— Je pensais vraiment ce que je viens de te dire, Laura. A Londres, tu es chez toi, et je n'ai pas le droit de te faire quitter cela. Sur place, je prendrai quelqu'un pour veiller sur moi. La maison sera assez grande.

Laura ressentit un nouveau choc.

— Quelle maison?

— Celle qui va avec le poste. En plus d'une augmentation de salaire. L'argent ne posera aucun problème. Je peux très bien me débrouiller seul.

— Non, répéta-t-elle.

Et elle ajouta rapidement :

— D'ailleurs, comme ça, je serai plus près de Tim.

Cette remarque fit plus pour convaincre son père que tout ce qu'elle avait pu dire auparavant.

— Toi et ton frère, grommela-t-il. Tu lui serviras encore de nounou quand il aura quatre-vingts ans.

Il tira sur sa pipe avec satisfaction.

— Je serai ravi de te montrer les landes. Quand tu auras appris à connaître le Yorkshire comme je le connais, tu oublieras vite le quartier de Heath.

Elle sourit et acquiesça. Elle aurait voulu en être aussi sûre que son père. Les landes étaient certainement très belles, mais rien ne remplacerait à ses yeux l'ambiance des étroites allées sinueuses de Hampstead, l'atmosphère de carnaval dans le Heath quand la foire s'installait. Et cela n'était qu'une petite partie de ce qu'elle possédait ici. Il ne fallait pas oublier le reste de Londres! Les concerts au Festival Hall ; le ballet et l'opéra à Covent Garden; les cinémas, les théâtres, les musées...

— ... et puis bien sûr, disait son père, il y a ton travail.

Laura sursauta. Elle réalisa qu'elle avait perdu le fil de la conversation. Mais cette fin de phrase suffisait à la ramener sur terre.

— Il faudra que je donne un mois au moins de préavis, intervint-elle. Je ne veux pas les laisser ainsi, du jour au lendemain.

— Je m'en doute. De toute façon, cela me permettra d'aller là-bas pour tout préparer.

— Crois-tu que je trouverai du travail à Eddlestone? demanda-t-elle. Je n'imagine pas qu'il y ait un endroit comme la clinique Harley.

— Moi non plus, confirma-t-il en riant. Mais il y a un petit hôpital très convenable où ils ont du mal à trouver des diététiciens. Je ne pense pas que tu aies du souci à te faire.

— En ce cas, tout est pour le mieux.

Elle se sentit soudain submergée par un sentiment de dépossession qui la quitta rapidement, la laissant vide de toute émotion.

— Si tu veux, tu peux encore décider de rester, insista son père. Je me débrouillerai très bien tout seul.

— Non, c'est impossible. J'ai besoin de toi, papa. Les personnes passent avant les situations.

Elle se mit à genoux et posa la tête sur son épaule. Il lui passa la main dans les cheveux, d'un geste qu'il avait souvent eu quand elle était enfant. Elle sut alors qu'elle avait pris la seule décision possible. Il ne faisait aucun doute que les êtres comptaient plus que les situations. Et elle resterait seule à connaître l'ampleur du sacrifice qu'elle faisait à cette certitude.

2

A peine le train était-il entré en gare d'Eddlestone que Laura vit ses pires appréhensions se matérialiser. Elle avait quitté le matin même une ville nimbée du soleil de l'automne. Elle entrevoyait à présent un paysage noyé de pluie, avec d'étroites maisons de brique, noires de saleté.

Elle adressa à son père, venu l'accueillir, un sourire crispé. Elle le serra dans ses bras et remarqua que les trois semaines qu'il avait déjà passées à Eddlestone lui avaient parfaitement réussi.

— Tu as l'air en pleine forme, déclara-t-elle.

— C'est l'air pur.

Il regarda la pluie tomber et fit une petite grimace, puis s'empara des bagages de Laura et les déposa devant une Ford bleu métallisé.

— J'ignorais que tu avais une nouvelle voiture, observa Laura comme ils démarraient.

— Un cadeau de Grantley. Elle marche comme une fusée. Nous serons à la maison en un clin d'œil.

A la maison! Comme si elle allait jamais pouvoir se sentir chez elle dans cette ville minable avec son ciel gris, ses maisons grises! Combien de temps supporterait-elle de vivre ici? Elle regrettait presque de ne pas avoir accepté de rester à Londres, comme son père le lui avait proposé.

— Regarde là-bas, Laura.

La voix de son père l'arracha à ses sombres méditations.

— Il y a un an, tout ça n'était qu'un désert.

Elle aperçut un paysage lugubre, sans un arbre, planté seulement de maisons de brique nue.

— Ce n'est pas ici que nous allons vivre, n'est-ce pas? interrogea-t-elle avec angoisse.

— Non. La société nous a logés dans les quartiers résidentiels. Ces maisons-ci sont pour les nouveaux venus dans l'entreprise.

Les chemins boueux firent place à des routes pavées tandis qu'ils entraient dans un quartier plus ancien, à l'architecture victorienne. Ensuite, ils remontèrent une grand-rue qui semblait fière de ses richesses : une église, un restaurant, un cinéma et plusieurs boutiques.

— Passerons-nous devant l'usine? demanda Laura.

— Non, mais tu pourras y jeter un coup d'œil dans un instant.

Ils prirent une autre route, bordée de demeures vétustes dont certaines semblaient vouées à une proche démolition. Un petit mur de pierre longeait un cimetière. Le père de Laura lui désigna, à travers les tombes, le sommet d'un édifice violemment éclairé. Elle distingua un damier d'immeubles à façades vitrées, disposés en carrés tels des serres dans un jardin de géant.

Elle regarda son père avec de grands yeux.

— Je ne me doutais pas que c'était si grand.

— Tu comprends peut-être à présent pourquoi j'apprécie de travailler ici. C'est le rêve de tous les ingénieurs électroniciens du pays!

Elle n'en revint pas de la fierté qui perçait dans sa voix. Décidément, les hommes ne pensaient qu'à eux.

— Je souhaite tout de même que tu ne te tues pas au travail, répondit-elle sèchement.

— Aucun risque puisque je t'ai pour prendre soin de moi.

— Pour ce que tu m'écoutes! Tu ne dois pas te surmener. L'usine a mis tant de temps à s'installer qu'elle peut bien attendre quelques semaines de plus!

— C'est une question de principe, ma chérie. Nous sommes déjà en activité.

— Mais tu disais que ça prendrait au moins six semaines!

— Je n'avais pas encore rencontré Andrews. C'est un homme d'une extraordinaire vitalité.

— Qui est Andrews?

— Le directeur général. Il vient d'être nommé. La promotion est belle pour un homme d'une trentaine d'années.

— Un ambitieux, je suppose. Sa famille a sans doute le bras long?

— Il ne doit rien à personne, précisa John Winters. Il a peiné pour en arriver là et il en est fier.

Laura était furieuse contre elle-même d'avoir provoqué cette réplique sarcastique.

— Excuse-moi, papa. Je suis fatiguée. Une fois à la maison, je me sentirai mieux. Tu pourras tout me raconter après dîner.

— Je crains de ne pas pouvoir t'accorder beaucoup de temps ce soir. Des plans sont arrivés à la dernière minute de Londres, et j'ai promis à Andrews de retourner à l'usine pour les examiner avec lui.

— Pour mon premier soir ici. Tu es vraiment...

Le grondement soudain d'un train, engloutit le reste de sa phrase. Furieuse, elle regarda les wagons défiler. Le mot Wallsend écrit sur l'un d'eux la fit penser à autre chose et quand le silence fut revenu, elle changea de sujet.

— N'est-ce pas à Wallsend que Tim travaille?

— Si. C'est juste après Manchester.

— Alors il est bien plus près que je ne le croyais. Pourquoi ne viendrait-il pas vivre avec nous?

Elle vit une ombre fugitive sur le visage de son père, mais peut-être n'était-elle due qu'à l'éclairage de la route, car il reprit posément :

— Tim a besoin de sa liberté. Je te l'ai expliqué.

— J'en parlerai avec lui. Je suppose que tu l'as vu?

— Dimanche dernier, pendant une heure. Il voulait me faire admirer sa dernière moto. Il a dit qu'il essaierait de venir te voir ce week-end, s'il pouvait.

S'il pouvait... Laura sentit les larmes lui monter aux yeux. Elle réalisa à quel point elle avait compté sur son frère jumeau pour adoucir son exil.

— Je voudrais qu'il retourne chez Grantley, déclara-t-elle. Je sais qu'il gagne davantage d'argent là où il est, mais si tu...

— Non! coupa son père. Il vaut mieux pour lui qu'il travaille ailleurs!

Une fois encore, Laura eut une impression désagréable; son père lui cachait certainement quelque chose. Elle l'interrogerait plus tard, quand elle serait installée.

John arrêta la voiture devant une petite maison isolée de la rue par une haie. L'habitation était beaucoup plus jolie que prévu. Surtout après les monstruosités devant lesquelles ils venaient de passer. Elle adressa à son père un sourire rayonnant, comme si elle avait toujours rêvé de vivre dans un tel endroit.

— Grantley t'a gâté, papa. Et il y a un garage, aussi!

— Et un beau jardin derrière, où tu pourras faire pousser toutes ces plantes auxquelles tu tiens tant, ajouta gaiement John Winters.

Laura poussa la grille et remonta la petite allée de gravier. Elle avait atteint le seuil de la maison quand la porte s'ouvrit sur une forte femme enveloppée d'un tablier à fleurs dont le motif, d'un rouge vif, s'harmonisait avec ses joues de paysanne.

— Essuyez vos pieds avant d'entrer! tonitrua la femme en guise d'accueil. Dommage de salir ce vestibule!

Surprise, Laura obtempéra et se vit accorder une vigoureuse poignée de main.

— Ainsi, vous êtes Laura. Juste comme votre père disait. Mignonne, mais trop maigre. Enfin, vous allez vite engraisser, ici. Heureuse de faire votre connaissance.

— Excusez-moi, mais...

— Madame Rampton, l'interrompit la commère. Appelez-moi Nell. J'ai jamais pu supporter les manières.

Cette familiarité glaça Laura. Comment son père avait-il pu dénicher une pareille bonne femme? Inutile de demander qui allait faire la loi dans la maison. La jeune fille haussa les épaules et demanda froidement.

— Je voudrais savoir à quelle heure le dîner sera servi. Je suis assez fatiguée par le voyage et j'aimerais me mettre à table le plus tôt possible.

Il y eut un silence, puis John Winters intervint :

— Tu n'y es pas, ma chérie. Nell ne travaille pas pour nous. Elle est notre plus proche voisine.

Leur voisine! Ecarlate, Laura bredouilla des excuses.

— Je ne savais pas... pardonnez-moi. Mon père ne m'a rien dit et quand je vous ai vue avec votre tablier...

— La plupart des femmes portent un tablier chez elles, par ici, l'interrompit Nell Rampton. Mais la prochaine fois, je mettrai mon costume du dimanche.

Ignorant Laura, elle se tourna vers John Winters avec un large sourire.

— Je vous ai laissé une tarte au four.

— C'est très aimable à vous de vous être donné cette peine, intervint Laura.

— Quelle peine? On voit bien que vous êtes de la

capitale, où les gens ne connaissent même pas leurs voisins de palier!

— Londres est une grande ville, précisa froidement la jeune fille, et les gens ne s'intéressent pas autant aux affaires des autres.

Nell Rampton changea à son tour de couleur. Elle sortit une clé de sa poche.

— Je n'en aurai plus besoin. Vous savez où j'habite. Si vous avez besoin de moi, venez me trouver.

La porte se referma sur elle et John Winters se tourna vers sa fille.

— Tu as fait une belle gaffe!

— Je ne pouvais pas deviner qui elle était. Et puis toutes ces bêtises sur les Londoniens!

— Quelles bêtises? C'est vrai que nous ne connaissions même pas le nom de notre voisin de palier. Mais le problème n'est pas là. Nell ne t'en tiendra pas rigueur. Si un de ces jours, tu lui proposes une de tes tartes, elle viendra te manger dans la main.

— C'est bien ce que je redoute!

Laura se dirigea vers l'escalier.

— Je voudrais voir ma chambre, papa.

Il prit les valises de Laura et passa devant elle.

— Tout est neuf. Tu voudras peut-être changer la disposition des meubles et acheter des rideaux, mais je ne crois pas qu'il y ait de gros travaux à faire.

A la vue de sa petite chambre, avec ses meubles bon marché, Laura constata avec stupéfaction que son père ignorait tout de ses goûts. Elle ne retrouva sa bonne humeur que dans la cuisine. L'équipement était à la dernière mode, avec un four accroché à hauteur d'œil, une rôtissoire et un immense réfrigérateur.

— Quelle bonne surprise! Je pensais que j'aurais à faire la cuisine sur un poêle à charbon!

Son père sourit.

— Tu peux remercier Jake Andrews. C'est la cuisine

la plus moderne d'Eddlestone. Je lui avais expliqué que tu étais diététicienne, alors il est allé commander tout ça pour toi.

— C'est la pièce la plus agréable de la maison.

— Transforme les autres à ta manière. Mais Andrews a pensé que la cuisine passait avant le reste pour toi.

Laura se sentait dévorée par la curiosité en découvrant que cet homme, d'une ambition si déterminée, avait pu prendre le temps d'organiser sa cuisine. Cette facette ne cadrait pas avec l'image qu'elle se faisait de lui. Ce M. Andrews semblait très soucieux du bien-être de ses employés, puisqu'il allait jusqu'à leur offrir une cuisine.

— Dînons, décida-t-elle vivement. Je meurs de faim.

La tarte de Mme Rampton s'avéra succulente, et ils la savourèrent en parlant de choses et d'autres.

Le repas achevé, Laura disposa exprès les pantoufles de son père devant le fauteuil le plus confortable du salon, puis s'installa elle-même devant la cheminée.

John Winters entra la pipe à la main et jeta à sa fille un coup d'œil embarrassé.

— Désolé, mon petit. Je voudrais bien rester, mais Andrews m'attend à l'usine.

— Repose-toi au moins une minute. Je suis sûre que...

La sonnerie du téléphone l'interrompit et son père alla répondre. Il revint un instant plus tard, le manteau sur les épaules.

— Monsieur Andrews, déjà? Il est à peine huit heures!

— Les gens dînent tôt, par ici.

— C'est ce que je vois!

L'air pincé, elle l'accompagna jusqu'à la porte.

— A quelle heure rentres-tu?

— Je ne sais pas au juste. Avec lui, on ne sait jamais quand on s'arrêtera.

Elle fut prise de fureur.

— As-tu accepté cette merveilleuse promotion, comme tu dis, pour te laisser mener par le bout du nez par un homme deux fois plus jeune que toi? Vraiment, papa...

— Ça suffit, Laura. Andrews a beau être très jeune, il est directeur général et je travaille sous ses ordres. Je n'admets pas ce genre d'enfantillages. Si je ne te connaissais pas, je te prendrais pour une révolutionnaire!

Cette plaisanterie vint atténuer la sécheresse des propos de son père, et Laura sourit. Mais aussitôt la porte refermée, elle se rendit à la cuisine en maugréant. La vie promettait d'être sinistre dans ce trou perdu!

Avec un soupir, elle monta défaire ses valises dans sa chambre. Cela ne lui prit qu'une heure et elle retourna au salon pour allumer la télévision. Le programme local lui rappela qu'elle était une étrangère dans cette région. Elle éteignit le poste avec irritation et se plongea dans un livre.

Mais elle était distraite, et ses pensées revinrent à ce M. Andrews inconnu que son père appelait Jeff. Non... Jake. Un nom peu courant, qui convenait mieux à une vedette de cinéma qu'à un paysan du Nord. Laura s'en voulu de porter des jugements aussi catégoriques qu'arbitraires. Tout ce qu'elle avait reproché à Nell Rampton.

Elle fit une seconde tentative devant la télévision. L'accent des acteurs la découragea et elle passa sur une autre chaîne. Il lui faudrait du temps pour s'y habituer, mais elle devait aussi se rappeler que sa propre voix paraissait sûrement affectée aux gens du Nord.

Les heures s'égrenèrent lentement et elle était assoupie quand elle entendit la clé de son père tourner dans la serrure. Il entra avec précaution et elle cria :

— Je suis là, papa! Au salon.

Il la rejoignit, les traits tirés. Laura commenta :

— Je suppose que tu as travaillé jusqu'à des heures impossibles presque tous les soirs.

— C'était prévisible. Mais quand l'usine aura vraiment démarré, je serai moins pris.

D'une voix volontairement gaie, car elle sentait que c'était la seule façon de pouvoir critiquer Jake Andrews, la jeune fille lança :

— J'ai l'impression que tu seras souvent pris, avec ton nouveau patron. Il a l'air de prendre les choses au sérieux.

Son père lui répondit par un grognement inarticulé en s'appuyant à la cheminée.

— A propos de prendre les choses au sérieux, j'imagine que tu es impatiente de trouver du travail?

— Je vais m'en occuper sans tarder. Tu disais qu'il y avait un petit hôpital en ville, n'est-ce pas?

— Oui. Mais Andrews m'a signalé ce soir qu'il cherchait quelqu'un pour s'occuper de la cantine de l'entreprise. Il se demandait si cela ne t'intéresserait pas.

Les yeux de Laura s'assombrirent de colère.

— Je suis diététicienne, pas cantinière. Remercie-le de sa proposition, mais dis-lui que ma réponse est non.

Au cours des jours suivants, Laura commença cependant à s'inquiéter, car le petit hôpital du district n'avait pas les moyens de s'offrir les services d'une diététicienne. L'infirmière en chef lui suggéra un travail à mi-temps à l'hôpital de Leeds ou de Manchester.

— Je n'ai pas l'intention de faire d'aussi longs trajets pour aller travailler, répliqua Laura. Ou alors, ce n'était pas la peine de quitter Londres.

— Dans ce cas, vous feriez mieux de changer de métier, avait conseillé son interlocutrice.

Laura avait quitté l'hôpital au bord des larmes. Elle se sentait si déprimée qu'elle avait envie de déclarer à son père qu'elle ne pourrait pas rester à Eddlestone. Mais elle se ressaisit avant d'être arrivée chez eux et parvint à dissimuler son désarroi tout au long de la soirée.

Pour s'occuper, elle confectionna pour toute la maison des rideaux en chintz acheté dans une boutique vieillotte, puis elle se mit à recouvrir les fauteuils de housses de toile écrue. Elle eut bientôt fini, et les jours s'écoulèrent lentement, avec une égale monotonie.

— Tu tournes en rond comme une âme en peine!

Elle avait oublié ce soir-là d'afficher son habituel sourire de commande, et son père insista :

— Je suis sûr qu'il y a à Eddlestone des tas de gens de ton âge. Inscris-toi à un club.

— Non merci, l'arrêta-t-elle. Ce ne sont pas des gens pour moi de toute façon. Sinon ils ne vivraient pas dans un tel trou.

Devant l'expression de son père, elle se hâta d'ajouter :

— Ce n'est pas pareil pour les gens comme toi, qui travaillent à l'usine. Mais en dehors de cela, il n'y a rien.

— Tu gâches ton existence ici, constata son père. Si tu avais trouvé un emploi à l'hôpital, je ne dis pas, mais là... Pourquoi ne pas retourner à Londres?

Laura prit la main de son père.

— Je ne te laisserai pas seul ici. N'en parlons plus. Dès que j'aurai trouvé une activité, tout s'arrangera.

Pourtant, rien ne se concrétisa, et Laura passa une annonce dans le journal local. La seule réponse qu'elle reçut provenait d'un cabinet médical qui cherchait une réceptionniste, à dix kilomètres d'Eddlestone. Il fallait connaître la sténo, la dactylo, et Laura se résigna à aller prendre des leçons, l'après-midi, chez une vieille fille retraitée d'une école de secrétariat.

Lorsque, plus d'un mois après son arrivée, elle put se confier à Tim, il s'exclama :

— Si tu m'avais demandé mon avis avant de venir ici, je t'aurais expliqué où tu allais mettre les pieds.

— Je le savais déjà.
— Alors, de quoi te plains-tu?
Tim avait raison, et Laura changea de sujet. Elle le fit beaucoup rire en lui racontant ses leçons chez Miss Rendell dont elle imitait l'accent et l'apparence physique avec un humour corrosif.
— C'est un personnage, s'écria Tim, mais je la préfère à cette pie de Nell Rampton qui fait, au demeurant, une merveilleuse tarte aux poireaux!
— Si tu viens dimanche prochain, je te ferai un canard à l'orange.
— Tentatrice!
— Ta présence est ma seule joie dans ce pays.
Tim lui pressa la main.
— Pauvre chou, murmura-t-il. Je viendrai te remonter le moral.
Fidèle à sa promesse, Tim venait à Eddlestone presque tous les dimanches et Laura comptait les jours qui la séparaient de ses visites. Son père, qui continuait à travailler pendant les week-ends, et Tim, ne se voyaient pratiquement jamais. Et ils n'en semblaient pas affectés. Laura les sentait tendus ensemble, mais ne voulait pas faire fuir son frère par des questions indiscrètes.
L'après-midi, quand il faisait beau, Tim l'emmenait se promener dans les landes, qui étaient d'une beauté saisissante et justifiaient pleinement l'enthousiasme de son père.
— Si seulement les gens étaient moins tristes. Sont-ils pareils à Manchester? demanda-t-elle à Tim.
— Pas ceux que je connais. Ils sont comme mes amis londoniens. Mais toi, Laura, tu devrais sortir un peu.
— Ce doit être différent à Manchester.
— Manchester ne vaut pas Londres, tu sais!
— Alors, pourquoi n'as-tu pas repris un travail sur place quand tu as quitté Grantley?

Il éluda la question.

— Moi, j'aime bien être un gros poisson dans un petit ruisseau. Ici, je passe pour un citadin raffiné et je n'ai pas de mal à être populaire auprès des filles! Elles se battent pour venir avec moi!

— Comment fais-tu pour t'en sortir financièrement? Tu dois gagner beaucoup mieux ta vie, non?

— Suffisamment pour faire ce dont j'ai envie, répliqua-t-il brièvement.

Il se tourna pour allumer une cigarette avec un briquet que Laura ne lui connaissait pas. Elle le regarda de près et observa :

— On dirait de l'or.

Tim remit le briquet dans sa poche.

— Tu n'y es pas du tout... Au fait, comment va M. Miracle, ces jours-ci?

Laura ouvrit de grands yeux interrogateurs.

— Jake Andrews, expliqua Tim. Papa lui fait toujours des ronds de jambe?

Elle opina, puis ajouta, sur la défensive :

— Il reste encore beaucoup à faire.

— Avec un type comme Andrews, ce sera toujours comme ça. Il vit pour son travail, paraît-il.

— Tu ferais bien d'en faire autant!

Tim se passa la main dans les cheveux avec une grimace. La ressemblance avec sa sœur était frappante.

— Pour moi, le travail n'est qu'un moyen d'arriver à prendre ma retraite le plus tôt possible.

Laura éclata de rire.

— Ça risque de prendre encore un bout de temps!

— Qui sait?

Il se leva pour partir.

— Je ne viendrai sans doute pas dimanche prochain. Il y a beaucoup de travail au bureau et j'ai promis d'y passer pendant le week-end.

— Viens quand tu pourras. Je ne t'en veux pas de vouloir te changer les idées.

Tim la serra tendrement contre lui.

— Tu es une sœur merveilleuse, Laura. Te l'ai-je déjà dit?

— Des milliers de fois! Chaque fois que je t'ai tiré d'embarras!

— C'est du passé, Dieu merci. Il faut que je parte. Embrasse papa pour moi.

Il sauta sur sa moto et s'éloigna à toute vitesse. Laura retint à grand-peine ses larmes.

Tim les laissa sans nouvelles pendant deux semaines. Le troisième dimanche, Laura avait attendu toute la matinée son coup de téléphone et préparait le déjeuner en perdant tout espoir à mesure que le temps passait. Elle essayait de faire bonne figure, mais son anxiété n'échappa pas à son père.

— Je t'avais prévenue qu'il ne fallait pas trop compter sur ton frère, lui rappela-t-il en découpant le rôti.

Laura plongea le nez dans son assiette, sans le moindre appétit.

— Je n'aime même plus faire la cuisine! explosa-t-elle. D'ailleurs, je ne trouve rien de ce qu'il me faut.

— Prends la voiture et va faire tes courses à Manchester, lui proposa son père.

— Je ne vais quand même pas aller à Manchester pour acheter des légumes. Si je voulais du caviar, je comprendrais, mais des légumes!

— Ce n'est pas ça qui te tracasse au fond, ma chérie. Si tu trouvais un travail fait pour toi, tu te sentirais tout de suite mieux.

Elle hocha le menton et repoussa son assiette.

Le repas aussitôt achevé, John Winters se leva et se mit à arpenter la pièce comme un lion en cage.

— Retourne à l'usine de ton cœur, fit Laura. Il ne faut pas faire attendre M. Andrews.

— Je serai de retour pour le thé. Avant, si je peux.

— Ne t'inquiète pas pour moi. Je vais me laver les cheveux.

Son père lui posa un baiser sur le front et s'en alla. Dès qu'elle eut débarrassé la table, Laura monta dans sa chambre et s'examina dans le miroir, découragée. Elle n'avait pas voulu confier ses cheveux à un coiffeur d'Eddlestone. Ils pendaient sur ses épaules en une crinière rousse. Elle les repoussa en arrière, puis s'empara d'une paire de ciseaux et entra dans la salle de bains.

Dix minutes plus tard, une épaisse masse de cheveux jonchait le sol. Laura se regarda dans le miroir et fut surprise du résultat. Sa tête s'auréolait de boucles mousseuses qui mettaient en valeur la courbe délicate de son cou. Les mèches dégradées accrochaient la lumière qui posait des touches d'or sur les boucles d'acajou. Ses yeux paraissaient d'un bleu plus soutenu. Elle se sentait tout à coup le cœur étonnamment léger.

Au moment de s'habiller, elle eut envie de porter des vêtements plus séduisants que d'habitude. Elle se glissa dans un pull de cachemire qui était exactement du même ton que ses yeux. Quand la laine, douce comme une caresse, moula ses petits seins hauts et ses hanches sveltes, elle se sentit plus femme qu'elle ne l'avait été depuis son arrivée à Eddlestone.

Elle décida de ne pas s'arrêter en si bon chemin et se maquilla, par provocation, d'une main plus généreuse que d'habitude : ombre bleue sur les paupières, mascara pour allonger encore ses cils interminables, un soupçon de fond de teint pour rehausser l'éclat de son épiderme parfait, une touche de rouge à lèvres, enfin, pour mettre en valeur sa bouche pulpeuse.

Elle était assez satisfaite d'elle-même, jusqu'au

moment où ses yeux tombèrent sur la grisaille des toits et du ciel. Quelle perte de temps! Ce jeu qui n'amusait qu'elle!

Le bruit de la voiture de son père la fit descendre en hâte à la cuisine. Elle posa la bouilloire sur le feu et disposait les tasses sur une table roulante quand elle entendit la clé tourner dans la serrure.

— Je n'en reviens pas que le grand dictateur t'ait laissé échapper si tôt!

— Il ne s'est pas échappé, fit une voix grave, je suis rentré avec lui.

Laura leva des yeux horrifiés et aperçut dans l'encadrement de la porte un homme d'allure sportive, avec des cheveux sombres. A première vue, il semblait trapu, mais Laura constata, lorsqu'il s'approcha d'elle, qu'il était d'une taille supérieure à la moyenne. La largeur de ses épaules, moulées dans un chandail gris, était responsable de cette impression trompeuse. Il respirait la santé, et son bronzage rendait ses yeux clairs plus pénétrants encore. Il avait une grande bouche dont, à cet instant précis, les coins remontaient comme s'il trouvait la vie amusante. Mais une mâchoire carrée et un nez un peu fort tempéraient cette expression.

Rien d'un Apollon, décida Laura tandis qu'il lui tendait une main énergique. Il débordait d'assurance et de séduction, et la jeune fille aurait parié qu'il avait un succès fou dans les bals du pays. Elle lui retira vivement sa main.

— Je ne m'étonne pas que vous en ayez assez de moi admit-il. Votre père n'a pas eu un seul week-end de liberté depuis votre arrivée. C'est pourquoi je tenais à venir moi-même vous présenter des excuses.

La bonne humeur de cet homme devant la réflexion désagréable de Laura prit la jeune fille au dépourvu. Pour se donner une contenance, elle ajouta une troisième tasse sur la table roulante.

— Vous n'avez pas à vous excuser, monsieur Andrews, je sais qu'il y avait beaucoup de travail à faire.

— Il y en a toujours!

Son sourire dévoila des dents très blanches.

— Je ne peux pas vous promettre de cesser d'être un dictateur, mais je ferai en sorte que votre père dispose d'une partie de son week-end.

— Vous êtes trop aimable, assura-t-elle avec une politesse glaciale.

Elle s'adressa alors à son père qui venait d'entrer.

— Veux-tu emmener M. Andrews au salon, je vais préparer des sandwiches.

La voix de son père lui parvint dans la cuisine, alternant avec un timbre plus grave, ponctué de francs éclats de rire. Quand elle entra au salon, la table était recouverte de plans que son père écarta hâtivement.

— Je croyais que vous aviez fini de travailler, protesta-t-elle.

Elle s'empara de la théière.

— Comment aimez-vous le thé des Indes, monsieur Andrews?

— Comme il vient, merci.

— Je voulais dire : avec du lait ou du citron?

Il haussa des sourcils épais.

— Avec du lait. Il me semble que le citron convient mieux au thé de Chine. N'est-ce pas votre avis?

Laura rougit violemment.

— Si, mais c'est une question de goût.

— Et le goût dépend souvent de l'éducation qu'on a reçue. Vous n'êtes pas d'accord?

— Non. Les goûts font partie de notre héritage.

— Je ne le pense pas. Si l'on donnait aux enfants des carottes au lieu de bonbons pour les récompenser, ils dépenseraient leur argent de poche chez le marchand de légumes!

— La préférence pour le citron ou le lait dans le thé est innée, s'obstina-t-elle. L'éducation n'a rien à y voir.

— J'ai bien peur que nous n'arrivions pas à nous mettre d'accord, conclut-il tranquillement.

Le feu aux joues, elle se servit une autre tasse de thé. Pourquoi diable avait-elle mis ce sujet sur le tapis? Elle le savait parfaitement : elle avait espéré plonger M. Miracle, comme disait Tim, dans l'embarras. Or elle n'avait abouti qu'à se montrer elle-même sous son jour le plus prétentieux. Evitant le pâle regard gris, elle retira l'assiette de sandwiches. A cet instant, une grande main carrée se saisit délicatement d'une fine tranche de pain.

— Je vous en prie, servez-vous! bredouilla-t-elle.

Il obtempéra sans façon, laissant l'assiette à moitié vide. Laura, qui l'observait par-dessus sa tasse, comprit que sa brusquerie devait plaire aux autres hommes, en particulier à ses collaborateurs. Il ressemblait plus à un délégué syndical qu'à l'idée qu'elle se faisait d'un directeur général.

Elle s'en voulut de ces réflexions partiales et se dit qu'Eddlestone accentuait ses pires défauts et qu'elle finirait par ne plus se supporter elle-même.

Pour tenter de réparer ses torts, elle sortit de son mutisme.

— Vous êtes très jeune, pour un directeur général. Vous devez en être fier.

— J'essaie de ne pas l'être. On dit que ça porte malheur!

— Pas à vous, intervint John Winters. Je parie que l'usine sera la seule à éviter les grèves!

— Seulement si ces prétentieux de Londoniens ne commencent pas à s'en mêler!

Jake Andrews avait un air ironique qui horripila Laura.

— Vous avez l'esprit de clocher, monsieur Andrews.
— Je suis un enfant du pays. Je comprends mieux que quiconque ses problèmes spécifiques. Mais je ne vais pas vous ennuyer avec des histoires de politique.

Agacée de voir qu'il essayait de la mettre sur la touche, elle insista :

— Je ne vois pas pourquoi vous critiquez tant les Londoniens. Ils sont comme les gens d'ici.

— Croyez-vous? Alors, comment se fait-il que vous ne trouviez pas d'amis dans la région?

Laura était fâchée que son père ait cru devoir raconter cela à son patron. Ce qu'elle faisait ne regardait pas ce jeune rustaud. Elle se mordit les lèvres. Elle reconnut en elle-même qu'il possédait un esprit subtil qu'elle aurait tort de sous-estimer, et qu'il s'en servait à ses dépens. Mme Rampton avait sûrement dû faire un compte rendu amélioré de sa rencontre avec « sa mijaurée de voisine ».

La voix grave de Jake Andrews, soudain moins bourrue, interrompit le fil de ses pensées.

— Qui est le vainqueur?

— Le vainqueur de quoi?

— Du combat que vous livrez avec vous-même. Si vous me permettez un conseil, vous devriez sortir davantage.

— Je préférerais que vous gardiez vos conseils pour vous. Je ne suis pas sous vos ordres, moi!

Un ange passa. Laura perçut la gêne de son père, mais Jake Andrews semblait très à l'aise. Il regardait ailleurs et Laura se demanda s'il ne se préparait pas à une autre réflexion vexante pour elle. Mais quand il reprit la parole, la douceur de sa voix surprit Laura.

— Je n'essaie pas de vous donner des ordres, affirma-t-il. Mais je sais que vous n'êtes pas heureuse ici, je voudrais vous aider. Je m'y prends peut-être avec maladresse, mais...

— Pas du tout, l'interrompit-elle. Vous me faites simplement penser à ces prétentieux de Londoniens que vous condamniez tout à l'heure.

Imperturbable, il sourit et poursuivit calmement :

— Je n'ai rien à vous imposer, mademoiselle Winters. Mais si vous voulez rester à Eddlestone, mieux vaut faire contre mauvaise fortune bon cœur. Autrement, vous feriez mieux de rentrer à Londres.

— Je ne peux pas...

— Je sais, coupa-t-il, que c'est pour votre père que vous êtes venue. Mais tant qu'à le rendre heureux, faites-le jusqu'au bout.

— Si je trouvais du travail, plaida Laura, tout serait différent. Mais je n'arrive pas à décrocher un poste de diététicienne. Alors, j'apprends la sténo-dactylo.

— Avec vos compétences, quelle sottise! Si vous acceptiez de vous occuper de la cantine, votre expérience vous servirait au moins à quelque chose.

— Je ne suis pas cantinière, monsieur Andrews.

— Je n'ai pas besoin d'une cantinière, mais d'une personne capable de prendre en charge l'alimentation de quatre cents employés — six cents à la fin de l'année. Si ce n'est pas un travail de spécialiste, alors je veux bien être pendu!

Laura déglutit péniblement. Il fallait être honnête. Elle n'avait refusé cette proposition que parce qu'elle émanait d'un homme pour lequel elle n'avait aucune sympathie. D'ailleurs, pourquoi éprouver ces sentiments pour un homme qu'elle ne connaissait qu'à travers son père?

Jake Andrews se leva pour partir. Il se tourna vers John Winters.

— A demain matin, John.

Puis les larges épaules pivotèrent vers Laura.

— Que décidez-vous?

La surprise la fit sursauter.

— Moi?

— Oui. Puis-je compter sur vous aussi? Mon offre reste valable, si le cœur vous en dit.

Elle le regarda bien en face, cherchant une lueur de triomphe dans le regard gris. Mais il posait seulement sur elle des yeux attentifs. Et Laura comprit qu'il avait deviné les raisons de son refus antérieur.

— Entendu, décréta-t-elle tranquillement. Je viendrai demain matin.

3

Le lendemain, en arrivant à l'usine Grantley avec son père, Laura vit que toute l'installation rappelait l'atmosphère d'une clinique. Elle en fit l'observation à son père qui lui répliqua :

— C'est parce que tout est neuf et conçu pour un maximum d'efficacité.

Il gara la voiture devant un bâtiment plus petit que les autres dont l'entrée s'ornait de panneaux de mosaïque. A travers la porte vitrée, on apercevait une profusion de plantes vertes dans le grand hall de réception.

— Est-ce le bureau de la direction? demanda Laura.

— Oui, Jake m'a demandé de te déposer ici.

Il lui tapota la joue et ajouta :

— Je suis content que tu sois venue, Laura. Je suis certain que tu ne le regretteras pas.

La jeune fille suivit la voiture de son père des yeux jusqu'à ce qu'il se perde dans la foule de la rentrée. Elle se sentait comme une écolière dans une nouvelle école. Elle poussa la porte et entra. Une très jeune fille était installée derrière un bureau d'acajou. Derrière elle se trouvait un standard apparemment muet, et Laura vit la revue posée sur les genoux de l'hôtesse, avec une certaine jubilation mauvaise.

La jeune fille lui adressa un ravissant sourire inexpressif et Laura commença :

— Je suis Laura Winters. M. Andrews m'attend? Je vais être chargée de la cantine et...

Le sourire de l'hôtesse s'épanouit encore.

— La Londonienne, bien sûr! coupa-t-elle. Je dois vous envoyer à M. Carpenter, notre directeur du personnel.

Elle s'empara d'un téléphone qu'elle reposa presque aussitôt.

— Il vous attend. Premier étage, cinquième porte, à droite.

Laura suivit ces instructions et déboucha dans un couloir spacieux. Les portes des bureaux étaient ouvertes, ce qui lui permit d'entrevoir des groupes d'hommes, pour la plupart en manches de chemise. La cinquième porte donnait sur une pièce plus petite, occupée par un homme seul, dont le costume strict indiquait un niveau élevé dans la hiérarchie. Elle toussota pour signaler sa présence et l'homme vint à sa rencontre.

— Je suis Bill Carpenter. Je ne peux pas vous dire combien je suis heureux de votre arrivée. M'occuper de la cantine a été un vrai cauchemar.

Elle ne peut dissimuler son étonnement.

— Parce que vous vous en occupiez personnellement?

— M. Andrews a fait appel à des traiteurs de Manchester, rectifia-t-il. Mais j'étais chargé de tout superviser, et aussi, d'écouter les doléances des employés.

— J'ai apporté mes diplômes et mes références.

— C'était inutile. M. Andrews vous a embauchée et c'est tout ce que j'ai à savoir.

Il s'approcha de la fenêtre et fit signe à Laura de le suivre.

— Le bâtiment, là-bas, abrite la cantine et l'infirmerie. Allons-y que je vous présente votre nouveau domaine.

La jeune fille fut affreusement déçue par la cuisine et la cantine, très fonctionnelles et parfaitement impersonnelles.

— Qu'est-ce qui ne va pas? demanda Bill Carpenter.

— Oh, rien du tout!

— Allons donc! N'ayez pas peur d'être sincère. J'aime la franchise.

Un homme selon le cœur de Jake Andrews, se dit acidement Laura. Les recherchait-il, ou les attirait-il?

— L'équipement est parfait, avoua-t-elle. Mais il faudrait de la couleur et de la vie. Des tableaux, peut-être et de la verdure.

— Dans une cuisine?

Elle sourit.

— Eh bien, pas de tableaux. Mais de la couleur. Et il faut supprimer les néons. Ils font paraître la nourriture grise!

— Entendu. Supprimons les néons pour commencer. Et la cantine?

— Une ou deux couches de peinture suffiraient.

— Décidez de ce que vous voulez faire et faites-le; assura Bill Carpenter. Assurez-vous simplement que M. Andrews voie d'abord les factures. Si vous avez besoin d'un conseil, adressez-vous à Robert Deen. Il travaille au bureau de dessin et se passionne pour la décoration.

Laura se demanda s'il s'agissait d'une suggestion ou d'un ordre. Dans le doute, elle préféra, dès qu'elle se retrouva seule, partir sans tarder à la recherche de ce Robert Deen. Elle pensa qu'en dehors de ses relations avec Jake Andrews, la situation prenait une bonne tournure, mais elle ne s'intégrerait jamais complètement à ce petit monde clos. Elle était née, avait vécu et mourrait Londonienne, même si elle devait rester dans ce trou jusqu'à la fin de ses jours.

Elle était tellement plongée dans ses pensées qu'elle bouscula par inadvertance un homme qui venait en face. Elle revint aussitôt sur terre.

— Excusez-moi, je vous en prie. J'étais dans la lune.

— Je suis enchanté que ce ne soit qu'une formule! jeta galamment son interlocuteur. Cherchiez-vous quelqu'un ou faisiez-vous simplement un petit tour?

— Qui aurait l'idée de faire un petit tour ici?

Il poursuivit, le plus sérieusement du monde :

— Plus de gens que vous ne pourriez l'imaginer. Il se fait beaucoup de travail top-secret et certains de nos concurrents ont les dents longues... et les oreilles à l'affût.

— Je tâcherai de me procurer des lunettes noires et un imperméable de passe-muraille, fit-elle solennellement.

Elle voulut reprendre sa route, mais il lui barrait le passage. Elle remarqua alors qu'il était grand, avec une mèche qui lui donnait l'air naïf et un petit visage pâle. Malgré sa petite bouche, son menton rond et son nez court, il n'avait rien d'efféminé grâce à d'épais sourcils bruns au-dessus d'yeux bruns enfoncés. Ces yeux étaient en fait ce qu'il avait de mieux : grands et bordés de longs cils, ils la dévisageaient en ce moment avec une curiosité franche.

— Puis-je vous accompagner quelque part? suggéra-t-il. Si toutefois, par miracle, vous travaillez ici.

— C'est le cas, mais excusez-moi, je ne vais pas dans votre direction.

— Qu'importe un petit détour.

Il lui emboîta le pas.

— Vous êtes nouvelle dans la maison, ajouta-t-il. Sinon, je vous aurais remarquée.

— A vrai dire, je suis arrivée ce matin. Maintenant

pardonnez-moi, mais je dois vous quitter. Soyez sans inquiétude, je ne viens pas pour espionner!

Il devint écarlate.

— Vous me trouvez sûrement horriblement prétentieux.

— Horriblement jeune et mâle, déclara-t-elle sans rire.

— J'ai vingt-quatre ans, vous savez. C'est suffisant, j'imagine, pour me mettre sur les rangs.

— J'en ai vingt-deux et mon frère jumeau me suffit dans le genre « minet »!

Il s'arrêta de marcher et la regarda en face. Dans la pâle lumière du soleil, elle remarqua ses taches de rousseur sur le nez, et sa minceur excessive. Il lui rappelait beaucoup Tim, et elle ne plaisantait pas en lui disant qu'elle n'aimait pas les très jeunes hommes.

— Je cherche le bureau de dessin et je suis pressée, insista-t-elle.

Il avait une lueur dans le regard qui fit penser à Laura qu'il ne considérait pas la question réglée, mais reprit avec une politesse attentive :

— J'y travaille moi-même. Qui allez-vous voir?

— Un certain Robert Deen.

Le jeune homme devint écarlate.

— Alors, ne cherchez plus.

Laura éclata de rire.

— Ça m'apprendra à tenir ma langue!

— Maintenant je connais au moins vos goûts pour les vieux messieurs! Je vais me teindre les cheveux en gris et me mettre à marcher avec une canne!

Un courant d'air la fit frissonner, et le jeune homme s'empressa de la conduire au bureau de dessin.

Laura put alors lui expliquer plus confortablement qui elle était et pourquoi elle le cherchait.

— Je vous aiderai avec joie, affirma-t-il. J'ai toujours trouvé la cantine sinistre.

— Avez-vous des idées?
— Des tas! Sortons ensemble ce soir et...
— Parlons de décoration, coupa-t-elle. Si vous ne pouvez pas être sérieux, restons-en là.
Il s'excusa et lui demanda :
— De quel budget disposez-vous?
— Je ne sais pas. Une centaine de livres, je pense.
— Ça permet tout juste d'acheter la peinture!
— Alors, disons le double. Ainsi nous pourrons refaire au moins un mur et acheter des plantes...
Une lueur ironique dans les yeux de Robert Deen l'arrêta net dans son enthousiasme et elle trancha :
— Faites-moi un projet pour la fin de la semaine.
— Mais je vous laisse négocier le budget avec M. Andrews. Il est plutôt radin.
— Je suis sûre que si l'on se préoccupe du bien-être de ses employés, il n'est pas près de lésiner.
Le jeune homme se mit à rire et lui posa la main sur le bras.
— Dans ce cas, je vous soumettrai plusieurs projets, disons... vendredi? Et si je vous les déposais chez vous? Je n'habite pas loin du tout.
— Comment le savez-vous?
— A Eddlestone, on ne peut qu'habiter près de chez vous! ironisa-t-il. Vous devriez le savoir.
Laura lui sourit.
— Alors, je vous attends vendredi soir pour le café.
— C'est un rendez-vous, ma parole!
— Un rendez-vous d'affaires, rectifia-t-elle. Venez vers huit heures.
Pendant le reste de la semaine, la jeune fille fut entièrement absorbée par l'étude du fonctionnement de la cantine. Jake Andrews s'était adressé à une firme efficace, mais elle tira, de leur méthode d'achat en gros auprès d'un organisme central, la conviction qu'elle pourrait faire aussi bien sur le plan financier et

infiniment mieux sur celui de la qualité. Il lui suffirait pour cela de s'approvisionner directement dans des fermes et chez des grossistes locaux. Elle procéderait par petites modifications successives, pour éviter tout risque d'échec. Elle allait montrer à ce M. Andrews à quoi ressemblait une cantine bien organisée, même si elle devait y laisser sa santé.

Et c'cst ce qui faillit lui arriver. Les courses à travers la clinique Harley n'étaient rien comparées à la responsabilité d'une cantine destinée à nourrir six cents personnes, en trois services, sans parler des menus et du budget que cela représentait. Heureusement, elle était assistée d'un personnel amical et compétent. Les trois cuisiniers et les six apprentis chargés de préparer les repas venaient d'écoles réputées, et ils étaient encore assez jeunes pour être plus exigeants envers eux-mêmes que l'habitude ne le veut dans ce genre d'entreprise.

La cantine était méconnaissable. Les fonds consentis par Jake Andrews s'étaient rapidement épuisés, mais Laura et Robert Deen n'avaient pas hésité à sacrifier leurs loisirs à ces améliorations. Ils avaient battu la campagne pour se procurer des pots de cuivre et d'étain où mettre des plantes vertes. Au cours de leurs pérégrinations, ils avaient même découvert des peintres amateurs trop heureux de se voir offrir la possibilité d'exposer leurs œuvres.

— A part poser de la moquette, je ne vois pas ce que nous pourrions faire de plus! dit un jour Laura.

Elle venait, avec Robert, d'accrocher quelques tableaux au-dessus de la table réservée à la direction.

— Sans vous, Robert, je n'y serais jamais arrivée, ajouta-t-elle.

— Vous n'aviez pourtant que l'embarras du choix!

Devant son ahurissement, il précisa :

— La moitié des hommes de mon bureau m'ont supplié de tomber malade pour pouvoir me remplacer!

— J'aurais été bien ennuyée que vous me laissiez tomber, avoua Laura.

— Je ne vous laisserai jamais tomber! protesta-t-il d'une voix passionnée.

Un peu gênée, Laura lui répliqua gaiement :

— Vous êtes mon premier ami dans cette ville.

— Ça ne me suffit pas. Dès l'instant où je vous ai vue...

— Je vous en prie, l'arrêta la jeune fille. Je ne crois pas au coup de foudre. C'est du désir, pas de l'amour.

— Alors, contentons-nous du désir, l'amour viendra plus tard!

— Pas avec moi, Robert! Vous êtes un ami, rien de plus.

— Eh bien, je serai votre ami, en attendant mieux, répliqua le jeune homme. Je suis patient.

— Vous perdrez votre temps. J'aime les hommes plus mûrs, je vous l'ai déjà dit.

— Et moi, je vous répète que je suis patient.

— A vous voir, on ne le dirait pas.

Au ton de Laura, plus qu'à ses paroles, Robert comprit qu'elle parlait sérieusement.

— Ce n'est pas parce que j'ai l'air d'un écervelé que j'en suis un. J'ai décroché un poste de responsabilité et...

— Là n'est pas la question, Robert. C'est difficile à expliquer, mais...

— Faites un effort, Laura, je vous en prie.

— Je crois que vous me rappelez Tim.

— Et alors? Je croyais que vous adoriez votre frère?

— En effet, mais je me sens bien plus mûre que lui.

— Dans ce cas, c'est à vous de changer, pas à moi.

Avant qu'elle ait pu faire un geste, il la prit dans ses bras. Malgré son apparence délicate, il n'y avait de faiblesse ni dans les bras qui enlaçaient Laura, ni dans les lèvres appuyées sur les siennes. Mais cette découverte laissa la jeune fille tellement indifférente qu'il finit par la lâcher, mortifié par sa froideur.

— J'ai connu de plus grands succès, se força-t-il à plaisanter. Je ne vous fais aucun effet, n'est-ce pas?

Désolée de l'avoir blessé, elle mentit :

— Vous exagérez. Je n'aime simplement pas qu'on me brusque.

— Ai-je quand même une chance, ou bien aimez-vous quelqu'un d'autre?

— Bien sûr que non!

La véhémence de Laura lui fit retrouver sa bonne humeur.

— Alors, je ne vous lâcherai plus d'une semelle!

Ses plaisanteries détendirent l'atmosphère. Laura savait parfaitement qu'elle n'aurait jamais pour lui qu'une grande affection, mais elle n'eut pas le cœur de le vexer davantage. De toute façon, à son âge, et avec son tempérament, il se lasserait sans doute et finirait par s'intéresser à une autre fille.

Au cours des semaines qui suivirent, Laura se demanda pourtant si elle n'avait pas sous-estimé la ténacité du jeune homme. Elle avait beau invoquer la fatigue, le travail, des obligations familiales, il continuait à venir chez elle au moins deux fois par semaine, toujours armé d'un excellent prétexte.

Un soir, après l'une de ses visites, le père de Laura observa :

— Vous semblez très bien vous entendre, Robert et toi.

— Nous sommes bons amis, c'est tout, précisa-t-elle gaiement. Ne vas pas te faire des idées.

— Après tout, tu vas avoir vingt-trois ans. A ton âge beaucoup de filles sont déjà mariées, mais on dirait que l'idée du mariage ne t'a jamais encore effleuré l'esprit.

— On m'a pourtant fait deux demandes en règle, rappela-t-elle.

— Que tu as repoussées toutes les deux. A croire que tu fuis le mariage.

— Tu ne voudrais pas que je me marie sans amour, si?

— Tu sais très bien que non. Mais peut-être as-tu peur de perdre ta liberté.

— On sent M. Andrews, derrière cette remarque, fit aigrement Laura.

Son père haussa les épaules, réellement surpris.

— Il n'a jamais rien dit de tel.

— Pas avec des mots, reconnut-elle. Mais il s'est arrangé pour me faire sentir que j'étais autoritaire.

— Mais tu es autoritaire.

— Papa!

John Winters éclata de rire.

— Désolé, Laura, ça m'a échappé. Mais tu te conduis comme si tu savais mieux que les gens ce qui leur convient. Surtout quand il s'agit des hommes.

A son tour, Laura se mit à rire.

— Je le sais vraiment mieux qu'eux. Regarde Jake Andrews. Si je n'y veillais pas, il travaillerait nuit et jour.

— C'est un fou du travail, reconnut son père. Ses seules soirées de loisir, il les passe avec nous.

— A parler boutique sans arrêt, oui!

John Winters bougonna.

— Nous avons des conversations passionnantes, je t'assure. Il est intelligent et cultivé. Il fera bientôt partie du conseil d'administration.

— Comme ça, il pourra vraiment dorloter ses employés bien-aimés, conclut Laura d'un ton acerbe.

Son père lui jeta un regard tellement ironique qu'elle rougit sans savoir pourquoi, ce qui ne fit qu'augmenter son aigreur.

— Je ne vois pas ce que j'ai dit de drôle!

— C'est ta façon de parler. Tu ne t'es jamais autant souciée d'un homme que de Jake.

— Je n'en avais pas encore rencontré d'aussi imbu de lui-même! Il est convaincu d'avoir toujours raison, marmonna Laura.

— Et en général, il a raison.

Il empêcha d'un geste sa fille de répliquer.

— J'ai l'impression que vous vous prenez à rebrousse-poil, tous les deux. Dommage...

John Winters en resta là et Laura se remit à l'étude de menus qu'elle avait rapportés chez elle. Mais elle avait du mal à se concentrer. Elle voyait se dessiner sur les pages, devant elle, le beau visage volontaire de Jake Andrews. Les yeux perdus dans le vague, elle se remémora la conversation qu'ils avaient eue lors de sa dernière visite. Rien que d'y penser, clle en avait encore lc feu aux joues.

Il était venu dîner. C'était la première fois qu'il avait été officiellement invité, et il était arrivé juste à l'heure, vêtu d'un jean et d'un chandail neuf. Phénomène plus étonnant encore, il avait apporté un gros bouquet de fleurs. Tout s'était bien passé jusqu'au moment du café.

Jake Andrews poussa un soupir de béatitude et jeta à Laura un regard satisfait.

— Vous êtes une excellente cuisinière, mademoiselle Winters. Vous pourriez faire le bonheur d'un homme.

— Merci, répliqua-t-elle. Mais j'espère qu'on ne me choisira pas pour cette raison-là.

— Je vois beaucoup d'autres raisons possibles!

A son regard qui s'attardait le long du corps de la jeune fille, elle avait parfaitement compris ce qu'il voulait dire. Elle détourna la tête. Mais il ne s'en tint pas là.

— Pour quelle raison aimeriez-vous que votre mari vous choisisse?

— Pour commencer, ce sera un choix réciproque.

— Bon, bon. La formule n'était sans doute pas très adroite avec une jeune fille comme vous.

Il semblait vraiment ennuyé. Laura lui jeta un coup d'œil pour voir s'il se moquait d'elle, mais il avait l'air d'une parfaite innocence. Elle se rendit alors compte que, sous l'empire du rire, ou de la colère, il se contrôlait moins et paraissait beaucoup plus jeune.

— Oubliez le mot, la pria-t-il, et répondez seulement à ma question.

— Cela a-t-il de l'importance?

— Oui, je voudrais savoir ce que vous en pensez. Vous êtes une femme libérée et je n'en rencontre pas souvent.

Pour le coup, ses yeux brillaient d'une flamme indubitablement moqueuse, mais Laura se garda bien de mordre à l'hameçon.

— Je ne voudrais pas qu'on m'épouse pour mes talents de ménagère. Je préférerais qu'il m'aime... parce que nous partageons les mêmes goûts, les mêmes idées, les mêmes opinions politiques. S'il...

— Opinions politiques? ironisa-t-il. Qu'est-ce que la politique vient faire dans cette histoire?

— Certainement plus que la cuisine!

— Je ne suis pas d'accord. On peut toujours éviter de parler politique, mais si la cuisine est mauvaise, le mari ira ailleurs se remplir l'estomac.

— Ça dépend de qui il s'agit. Si c'est un grossier personnage...

— Depuis quand un homme est-il grossier parce qu'il aime bien manger?

Laura conserva son sang-froid.

— Ce n'est pas difficile de se procurer un repas convenable. Ça l'est infiniment plus de trouver quelqu'un qui partage vos idées, vos convictions!

Jake Andrews secoua la tête.

— Je n'attache pas la moindre importance au fait

qu'un homme et une femme soient du même avis sur tous les sujets.

— Alors votre mariage risque d'être très orageux... ou très ennuyeux!

Il pouffa puis reprit son sérieux.

— Orageux, je ne crois pas. Et ennuyeux, certainement pas. Je n'aimerais pas vivre avec une femme effacée.

— C'est pourtant votre seule chance de pouvoir la dominer.

— Absolument pas. Il lui suffira d'être assez intelligente pour ne pas avoir de complexe de supériorité, et pour savoir reconnaître ses torts sans me faire passer pour une brute.

— La perle, en somme?

— Et pourquoi pas?

— D'autant qu'elle, elle pourra s'estimer privilégiée!

Les dents blanches de Jake étincelèrent dans son visage bronzé.

— Je vois que nous sommes au moins d'accord sur ce point!

Laura se maîtrisa à grand-peine.

— En tout cas, nous n'avons pas la même conception du mariage.

— C'est parce que je suis plus honnête que vous. Comme si vous ne saviez pas que ce qui se passe de plus important entre un homme et une femme ne peut s'exprimer avec des mots! Il faut le vivre, le ressentir.

— Si vous placez la conversation sur ce terrain...

— Quel terrain?

Jake Andrews était soudain dangereusement calme.

— Sur le plan sexuel, voulez-vous dire?

Laura jeta un coup d'œil rapide à son père, mais il s'était assoupi dans son fauteuil.

— Vous n'avez plus de prétexte pour ne pas me répondre.

— Je n'en ai pas besoin. Je ne suis pas étonnée que vous voyiez le mariage sous cet angle, déclara-t-elle d'une voix tremblante.

— Il se trouve que j'accorde la plus grande importance au sexe, admit-il placidement. S'il n'existe pas d'attirance charnelle, le mariage ne peut réussir, quelle que soit la communauté des idées et des espoirs.

— L'entente sexuelle compense pour vous toutes les divergences?

— Pas toutes, reconnut-il. Mais quand un homme et une femme s'aiment vraiment, leurs opinions politiques ne représentent jamais un obstacle à leur bonheur.

Laura continuait à le ménager le plus possible.

— Mais en dehors de la politique, qu'est-ce qui entre en ligne de compte?

— L'accord sur des points essentiels. Les problèmes raciaux, par exemple. Et aussi, une conception identique de la morale, de l'honnêteté. Etes-vous satisfaite?

— Evidemment.

— Je savais bien que nous étions du même avis!

Réduite au silence, Laura prépara mentalement quelques répliques cinglantes, mais y renonça. Rien ne démonterait cet homme.

— Je vous ferai remarquer que la cuisine n'entre dans aucune des catégories que je viens d'énumérer. Elle a tant d'importance que je la mets à part!

Exaspérée, Laura décida de le moucher.

— Que feriez-vous si vous tombiez amoureux... je veux dire si vous désiriez une fille au point de vouloir l'épouser, et que vous découvriez qu'elle déteste faire la cuisine?

— Je prendrais mes jambes à mon cou!

— Je pensais que vous auriez du mal à résister à une attirance physique.

— J'y suis arrivé, jusqu'à présent, affirma-t-il. Et, pardonnez-moi cette précision, je n'ai jamais prétendu que je ne croyais pas à l'amour. Je dis seulement que l'attirance sexuelle n'est pas à négliger.

Regardant son père, Laura se souvint de la tendresse qui le liait à sa femme.

— Que feriez-vous si votre femme tombait gravement malade? L'abandonneriez-vous ou prendriez-vous une maîtresse?

A sa stupéfaction, Jake eut l'air violemment ému. Mais cela fut si bref qu'elle crut s'être trompée.

— On devrait traiter les femmes malades comme les chevaux. Les abattre!

— Abattre quoi?

John Winters venait d'ouvrir les yeux et se mêlait à la conversation comme s'il ne s'était assoupi que quelques secondes.

— Les femmes malades et les chevaux, répéta Jake Andrews. C'est de l'argent perdu de les garder.

Furieuse, Laura vit son père éclater de rire.

— Je ne vois pas ce qu'il y a de drôle là-dedans!

— Jake te taquinait, petite sotte!

— Je ne connais pas assez M. Andrews pour savoir quand il plaisante.

Jake Andrews prit un air moqueur.

— Nous pourrions facilement y remédier. J'allais vous proposer que nous sortions ensemble, un de ces soirs. Quel jour vous conviendrait?

— Je suis très prise en ce moment.

Il n'insista pas et Laura lui en voulut plus encore.

La jeune fille était toujours dans ses rêves quand la voix de son père la ramena à la réalité.

— Je donnerais trois sous pour savoir à quoi tu penses, Laura.

Elle secoua la tête et son père reprit :

— Tu pensais à Jake?

— Qu'est-ce qui te fait croire ça?

— On aurait dit que tu allais mordre. C'est un air que tu as facilement quand il est dans les parages!

— Tu te fais des idées. Et de toute façon, il n'est pas venu depuis longtemps. Il a dû reprendre ses horaires de travail normaux.

— Il venait surtout déguster tes petits plats.

Laura rougit.

— Alors il a sûrement trouvé un autre cordon-bleu. Il n'est pas passé ici depuis dix jours.

— Il a passé la semaine à Londres. Si j'ai bien compris, il doit rentrer ce soir.

Ces explications n'empêchèrent pas Laura de se demander s'il recommencerait à venir chez eux aussi souvent qu'il avait pris l'habitude de le faire avant leur querelle. A moins qu'il ne se soit même pas aperçu qu'ils s'étaient disputés! Et si cela était, il avait dû, avec sa tête de cochon, s'imaginer qu'il en était sorti vainqueur.

Laura se replongea de toute son âme dans ses menus. Elle n'avait déjà perdu que trop de temps à s'occuper de Jake Andrews.

4

Par une étrange ironie du sort, Laura trouva un petit mot de Jake sur son bureau, en arrivant le lundi matin. Il lui demandait de venir le voir. Cette note officielle était la première qu'elle recevait de lui depuis son arrivée chez Grantley. Elle décida d'obéir sur-le-champ. Tant qu'elle ne saurait pas de quoi il voulait l'entretenir, son esprit ne connaîtrait pas de repos.

Le bureau de Jake Andrews était plus grand qu'elle ne s'y attendait et meublé avec un faste qui la surprit plus encore. De la moquette sombre au bureau d'acajou, tout était d'un goût parfait.

Lorsqu'elle entra dans la pièce, il pivota dans son grand fauteuil, se leva et ne se rassit que quand elle se fut elle-même installée en face de lui.

Il était vêtu avec une austérité qu'elle ne lui avait jamais vue auparavant et elle pensa machinalement qu'il avait dû rentrer par un train de nuit. Au même instant, il poussa un grognement qui exprimait la fatigue mais aussi une certaine irritation.

— Je ne suis jamais arrivé à passer une nuit convenable dans un train, avoua-t-il.

Il appuya la tête contre le dossier de son siège.

— Vous auriez dû rentrer chez vous vous reposer, lui reprocha Laura.

Il ne répondit pas, comme si elle avait dit une sottise qui ne méritait aucun commentaire. Puis il se pencha vers elle.

— Avez-vous la moindre idée de la raison pour laquelle je désirais vous voir?

Le calme de sa voix parut soudain à la jeune fille chargé de menace contenue.

— Qu'est-ce qui ne va pas, monsieur Andrews? Ai-je fait quelque chose...

— S'il ne s'agissait que d'une seule chose, explosa-t-il. Je viens de passer une heure à essayer d'éviter une grève!

Laura ouvrit de grands yeux.

— Une grève? Mais pourquoi...

— Votre satanée cantine, cria-t-il, voilà pourquoi!

— Je ne comprends toujours pas.

— Bien entendu. D'ailleurs, vous ne comprenez jamais rien. C'est ça, le drame! Sinon, il ne se serait rien passé.

Jake Andrews ne contrôlait plus sa voix, qui résonnait aux oreilles de Laura comme une mer déchaînée.

— N'avez-vous pas remarqué que les recettes de la cantine ont chuté de moitié ces deux dernières semaines? Evidemment non! Vous êtes bien trop occupée à repeindre les murs et à y accrocher de jolis tableaux!

— Si, je l'avais remarqué. J'avais l'intention d'en parler cette semaine à Bill Carpenter.

— Cette semaine! rugit-il. Qu'est-ce qui vous empêchait de le faire la semaine dernière?

— Je ne me rendais pas compte que c'était si grave, se défendit Laura avec un calme affecté. Je ne vois pas du reste en quoi j'en suis responsable. Si vous pouviez m'expliquer sans vous énerver...

— Sans m'énerver! Mais si je m'énervais, je vous aurais fichue à la porte dès ce matin!

La jeune fille se leva d'un bond.

— Je peux vous éviter cette corvée.

— Asseyez-vous!

Elle obéit en tremblant, puis lança, furieuse :

— Maintenant, expliquez-moi ce que j'ai fait! Poliment, autant que possible. Je suis aussi une de vos employées, monsieur Andrews!

Il ne s'excusa pas, mais reprit plus posément :

— Personne ne veut plus de vos repas, voilà ce que vous avez fait!

Laura n'en revint pas. Il n'avait pourtant pas l'air de plaisanter.

— J'élabore tous les menus moi-même, hasarda-t-elle. Ils sont parfaitement équilibrés et...

— Au diable, l'équilibre! Ce que les gens veulent, c'est se remplir l'estomac avec des plats qu'ils aiment, des plats un peu consistants. Pas avec ces salades et ces bouillies roses que vous leur proposez.

— Je n'ai jamais servi de bouillies...

— Vous savez très bien ce que je veux dire, coupa-t-il avec lassitude. Ne jouez pas sur les mots. On vous a engagée pour nourrir des hommes qui travaillent durement, pas pour alimenter de riches vieillards dans une clinique de luxe!

— Gardez vos préjugés pour vous, monsieur Andrews! Riches ou pauvres, les malades sont des malades, fulmina Laura.

— Je sais, reconnut-il. J'essayais simplement de vous démontrer qu'ici, les gens ont besoin de plats où ils puissent planter leurs dents!

— Leurs fausses dents, rectifia Laura. Avec le genre de régime alimentaire auquel vous faites allusion, ils ne conserveront pas longtemps les leurs.

— Contentez-vous du travail pour lequel on vous paie, mademoiselle Winters!

— Si je ne suis pas assez qualifiée, je préfère m'en aller tout de suite.

— Certainement pas. Je ne tiens pas à faire de la peine à votre père.

— Ne vous inquiétez pas pour lui. Je serai si contente de partir que je ne me plaindrai plus jamais!

Jake Andrews changea de ton.

— Vous êtes tout à fait qualifiée et vous travaillez dur. Je sais le temps que vous consacrez à la cantine. Mais, de grâce, cessez de faire de la diététique pour intellectuels. Vous avez charge d'ouvriers.

— Ce n'est pas une raison pour leur servir des repas bourratifs!

Jake Andrews semblait exaspéré.

— Je ne sais pas pourquoi vous tenez tant à vous disputer avec moi. Je vous demande seulement de les laisser choisir ce qu'ils préfèrent.

— Cela risque de vous coûter cher, railla Laura.

— Et que devient mon budget si les recettes diminuent de moitié?

La jeune fille le considéra avec toute la froideur dont elle était capable. Mais elle bouillait intérieurement de rage et d'humiliation.

— Ne montez pas sur vos grands chevaux, je vous explique simplement que les gens n'aiment pas qu'on leur force la main, même aux noms de principes excellents, je n'en disconviens pas.

Il lui adressa un sourire de loup.

— Satisfaite?

— C'est vous qu'il faut satisfaire, répliqua Laura de son ton le plus sec. Si vous le souhaitez, je peux vous faire vérifier les menus chaque semaine.

— Ce sera inutile. Nous referons le point dans un mois. Jusque-là, je suis sûr que vous ferez ce que je vous ai demandé.

Elle se dirigeait vers la porte quand il ajouta :

— Désormais, je déjeunerai à la cantine. Cela arrondira peut-être les angles que les employés me voient logé à la même enseigne qu'eux.

— Dans ce cas, je vous attends à midi, monsieur Andrews. Avec un bœuf en daube et des pommes de terre.

— N'oubliez pas la salade! lui lança-t-il.

En refermant la porte sans douceur, Laura dut admettre qu'il avait eu, comme toujours, le dernier mot.

Comme il l'avait annoncé, Jake Andrews se mit à prendre ses repas à la cantine. Et il tenait à sa salade!

Environ un mois plus tard, Laura fut à nouveau convoquée au bureau du directeur général. Mais elle prit tout son temps pour s'y rendre, et l'après-midi était largement avancé quand elle entra dans le bureau de Jake Andrews. Il était comme d'habitude entouré d'un fouillis de papiers et de plans. Elle entrevit quelques diagrammes compliqués et dut reconnaître qu'il était sûrement d'une intelligence supérieure à la moyenne pour avoir atteint sa position.

Sans un mot, il lui désigna un siège et continua à couvrir de notes une feuille déjà noircie de signes incompréhensibles.

Elle en profita pour l'examiner de près et remarqua que des fils d'argent émaillaient la sombre chevelure indisciplinée. Il avait aussi des cernes sous les yeux. Manifestement, il était aussi exigeant avec lui-même. S'il continuait ainsi, il serait vieux avant l'âge.

Enfin, il repoussa les papiers devant lui, se redressa et regarda Laura dans les yeux. Avant de détourner le regard, elle remarqua encore les rides qui lui marquaient la bouche.

— Je suppose que vous voulez me voir à propos de la cantine? demanda Laura.

— En effet. Les recettes remontent. J'ai pensé que vous seriez heureuse de le savoir.

— Je vous ai obéi en tout point. D'ailleurs, si je

réduis encore les quantités de salades et de fruits frais, vous pourrez diminuer le montant de vos subventions.

— N'essayez pas encore une fois de me faire dire ce que vous voulez m'entendre dire pour que je cadre avec l'image de butor que vous vous faites de moi!

Laura accusa le coup. Cet homme lisait dans ses pensées comme à livre ouvert.

— Je crois que nous ne nous aimons pas beaucoup, observa-t-elle prudemment. Nous nous tenons sur la défensive, à attendre les sarcasmes de l'autre.

Il eut un petit rire, puis se leva et vint se planter juste à côté de Laura. Obligée de lever la tête pour le regarder, la jeune fille remarqua à quel point son menton était ferme, son cou fort et musclé. Ce n'était pas un gamin dont on pouvait se moquer, mais un homme fier, au caractère ardent.

— Et si l'on repartait à zéro? proposa-t-il. Comme si l'on se rencontrait aujourd'hui pour la première fois.

Laura se raidit.

— Ce serait évidemment mieux si nous cessions d'être ennemis.

— Nous ne l'avons jamais été! protesta-t-il avec emphase. Aucune femme ne peut être mon ennemie!

— Pourquoi donc?

Jake Andrews se mordit la lèvre supérieure d'un air perplexe.

— Parce que... c'est impossible! Je ne sais pas pourquoi.

— Je peux vous le dire, moi. Parce que vous ne considérez pas les femmes comme vos égales.

— Quelle brillante hypothèse!

Laura se leva brusquement, de nouveau en colère. Elle sentit l'odeur de son eau de toilette. C'était la même qu'elle avait offerte à Tim pour Noël. Pourtant, elle prenait sur cet homme une odeur très différente, où se mêlaient l'arôme du tabac et une troublante virilité.

— Je suis désolée, s'excusa-t-elle. Me voici encore en train de chercher la bagarre.

— Aucune importance. Ça m'intéresse que vous considériez les femmes comme les égales de l'homme. Mais c'est néanmoins faux.

D'une voix très convaincue, il poursuivit :

— Elles sont plus émotives, moins logiques. Et elles veulent être protégées par l'homme qu'elles aiment.

Laura ne put s'empêcher d'éclater de rire. Malgré son intelligence, Jake se faisait des femmes une opinion plutôt rétrograde.

— Quel genre de filles connaissez-vous donc?

— Des femmes, répliqua-t-il, de vraies femmes, qui se contentent de leur vie au foyer, entre un mari et des enfants auxquels elles pensent plus qu'à elles-mêmes.

— Et pourquoi les femmes ne pourraient-elles pas avoir aussi un métier? Les enfants posent des problèmes, c'est vrai, mais les hommes ne sont pas des bébés.

— Pour vous, c'est peut-être possible. Mais la plupart des femmes sont très différentes de vous.

— Pas celles que je connais, moi! Nous n'appartenons pas seulement à des régions différentes, mais à des époques différentes.

Jake Andrews reprit lentement :

— Devant une jolie fille, j'ai toujours eu du mal à maîtriser mes instincts. Mais vous, avec votre silhouette de déesse et vos cheveux de feu, vous me laissez parfaitement froid.

— Voilà qui vous réchauffera peut-être!

Et la main de Laura s'abattit sur la joue de Jake Andrews. Tandis que la marque de ses doigts rougissait, elle rougit aussi, d'humiliation. S'être laissé aller à agir comme une vraie mégère!

— Si vous voulez me licencier... proposa-t-elle froidement.

— Vous licencier? répéta Jake.

Il sourit brusquement.

— J'ai plutôt envie de vous donner une augmentation! Vous êtes une sacrée bonne femme, Laura Winters. Vous finirez même un jour par me faire battre le cœur.

Vaincue, elle se précipita hors de la pièce et entendit le rire de Jake la poursuivre interminablement dans le couloir. Mais, une fois dehors, elle décida qu'elle ne quitterait pas Grantley. Ce serait un aveu de faiblesse. Aussi fit-elle comme si de rien n'était, bien que chaque rencontre avec lui mît ses nerfs à rude épreuve.

Par hasard, ou peut-être pour lui faire davantage de mal, Jake Andrews fréquenta assidûment leur maison au cours du mois qui suivit. Le père de Laura et lui, passaient leur temps penchés sur des plans, mais la jeune fille était douloureusement consciente de sa présence. Elle se sentait étouffer, et trouvait toutes les excuses possibles pour ne pas rester dans sa proximité.

Elle se rapprocha fatalement de Robert, dont la dévotion sans réserve était d'un grand réconfort pour sa vanité blessée. Elle évitait de reconnaître qu'elle encourageait ainsi les espoirs du jeune homme.

Un après-midi, alors qu'elle entrait au salon, son manteau sur le bras, son père observa :

— Je croyais que Robert ne te passionnait pas...

— J'ai dit que je n'étais pas amoureuse de lui, corrigea-t-elle. Grâce à lui, je ne suis pas obligée de sortir seule.

— Et Jake? Il t'a proposé de t'emmener dîner.

— Par pure politesse!

— Tu te sous-estimes, ma chérie, répliqua-t-il.

La sonnerie de la porte d'entrée interrompit la conversation. Laura courut ouvrir et, atterrée, trouva Jake sur le pas de la porte.

— Il me semble que ce n'est pas moi que vous attendiez! ironisa-t-il.

Il entra dans la maison. Laura lui lança, agressive :

— Faut-il vraiment que vous fassiez travailler mon père tous les week-ends?

— Il n'est pas question de travail. Votre père m'a demandé de venir faire une partie d'échecs avec lui.

Elle émit un soupir incrédule et le conduisit au salon. La sonnerie retentit à nouveau.

— Ce doit être Robert! s'exclama-t-elle.

Elle alla accueillir le jeune homme avec une telle chaleur qu'il en rayonna de bonheur. Elle se sentit mauvaise conscience et recula précipitamment.

— Je vais chercher mon manteau.

Avant qu'elle ait pu ajouter un mot, Robert était entré au salon. Elle l'entendit demander d'une petite voix :

— Je ne dérange personne, j'espère?

Quand Laura entra à son tour dans la pièce, elle le trouva posé sur le bord d'une chaise avec une telle nervosité qu'elle l'aurait volontiers battu. On aurait dit un écolier devant son proviseur. Tête haute, elle alla s'appuyer avec désinvolture contre sa chaise.

— En attendant que la pluie se calme, nous pourrions boire une tasse de thé, proposa-t-elle.

— Cette proposition m'est-elle également destinée? demanda une voix grave.

Laura partit dignement dans la cuisine, incapable de trouver la moindre réplique, et prépara rageusement le plateau.

Quand elle revint avec le thé, l'échiquier était sur la table, mais personne ne semblait s'y intéresser.

— Je pensais que vous seriez en pleine partie, remarqua-t-elle.

Elle remplit les tasses de thé, tendant la sienne à Robert avec une coquetterie étudiée.

— On dirait qu'il va pleuvoir tout l'après-midi, annonça tout à coup John Winters. Si vous voulez regarder la télévision, les enfants, ne vous gênez pas.

— Les émissions sont encore pires qu'à Londres, rétorqua Laura.

Il s'ensuivit une longue discussion au cours de laquelle Jake et Robert découvrirent qu'ils avaient tous deux participé à des programmes éducatifs. Robert en oublia toute timidité. Les trois hommes se mirent à parler à bâtons rompus et Laura réalisa qu'elle était bien plus souvent de l'avis de Jake que de celui de Robert.

Comme elle écoutait la conversation en silence, son père s'étonna de ce comportement inhabituel.

— Je n'aime pas interrompre les hommes quand ils parlent, dit-elle suavement.

John Winters mordit le tuyau de sa pipe.

— N'es-tu pas de mon avis quand je dis que je vois en Mozart le Gershwin du XVIIIe siècle? demanda Robert.

— C'est ridicule, rétorqua Laura. Mozart était un véritable génie et personne ne lui arrive à la cheville!

— Loué soit Mozart, intervint Jake. Grâce à lui, nous voici enfin d'accord sur un sujet important!

— Seulement sur le plan musical, me semble-t-il. En matière d'art, vous me paraissez plutôt vieux jeu.

A la plus grande surprise de Laura, il acquiesça.

— C'est vrai. Tout ce que je sais en la matière, je l'ai appris dans des livres.

— C'est un domaine où il vaut mieux apprendre avec ses yeux.

— Il y a une exposition très intéressante à Manchester, en ce moment, annonça Robert. J'allais proposer à Laura de venir la visiter avec moi samedi prochain. Venez la voir avec nous!

— Pour jouer les chaperons, non merci.

Jake regarda Laura avec une ironie à peine voilée.

Pour dissimuler sa gêne, elle se mit à débarrasser la table.

— Je vais t'aider, proposa Robert.

Il la suivit dans la cuisine. Dès qu'ils furent seuls, Laura se tourna vers lui, furieuse.

— Qu'est-ce qui t'a pris de lui demander de nous accompagner? Il ne pouvait pas accepter, bien sûr!

Robert eut l'air surpris.

— Il avait peur de nous gêner, mais je suis sûr qu'il avait envie de venir.

Il posa la main sur le bras de Laura et continua :

— Je suis content qu'il ne vienne pas, tu sais.

Pour couper court à ses épanchements, Laura lui tendit un torchon. Il ronchonna par principe et se mit à essuyer la vaisselle.

— Tu essaies encore de te débarrasser de moi, lui reprocha-t-il.

— Mais non. J'essaie seulement de te maintenir dans les limites d'une bonne camaraderie.

Plus tard, ce soir-là, Laura se dit qu'elle avait tort de tant voir Robert. Mais sans lui, elle se retrouverait absolument seule et elle se donna bonne conscience en se rappelant qu'elle l'avait clairement mis au courant de ses sentiments.

Le remords la reprit le samedi suivant, quand ils se rendirent à l'exposition. Comme ils descendaient de voiture, elle lui prit le bras dans un brusque élan d'affection.

— Que c'est bon d'avoir un véritable ami! Sans toi, je me sentirais horriblement seule dans ce pays.

— Je devrais t'amener plus souvent à Manchester, remarqua Robert. Tu n'as jamais été aussi gentille avec moi.

— Tu rêves, je n'ai pas changé en une heure!

Mais elle avait parfaitement compris ce qu'il voulait dire. Loin d'Eddlestone, elle échappait à l'angoisse de se heurter à Jake à chaque coin de rue. Elle tenta de chasser cet homme de ses pensées. Mais elle le détestait tant qu'elle ne cessait de penser à lui. Elle n'aurait pas agi autrement si elle avait été amoureuse de lui!

Ils étaient heureusement arrivés à la galerie de peinture et pendant l'heure qui suivit, Laura oublia tout ce qui n'était pas la délicatesse des tableaux accrochés tout autour d'elle. Le peintre n'était pas amateur de demi-teintes. Il avait la palette éclatante des impressionnistes français. Laura était émerveillée par la lumière qui émanait de ses œuvres. Et quand ils retournèrent chercher la voiture, elle resta sous le charme pendant un long moment.

Elle ne s'aperçut pas qu'ils roulaient à très petite vitesse, au milieu d'une foule compacte, et ne sortit de ses rêves qu'en entendant Robert pousser un cri d'exaspération.

— C'est l'heure de la sortie du football, expliqua-t-il. J'avais oublié que Manchester avait un match retour cette semaine.

— Quelle curieuse façon d'occuper un après-midi d'hiver, fit Laura. J'ai du mal à comprendre ce genre de passion.

— Pas comme notre patron bien-aimé!

A peine avait-il terminé sa phrase qu'il écarquilla les yeux. Laura suivit son regard qui tomba sur la carrure sportive de Jake Andrews, dans la foule.

— Il doit être aussi supporter de rugby, fit aigrement Laura. Je le vois très bien au cœur de la mêlée.

— Et il est en bonne compagnie. Tu as vu la fille qui l'accompagne?

Laura regarda avec stupeur la fille suspendue au bras de Jake, une créature mince, avec de longs cheveux blonds. Il n'avait pas menti en lui avouant qu'il aimait les femmes désirables. Celle-ci était la séduction incarnée, de son nez retroussé à ses formes provocantes, en passant par ses lèvres brillantes et ses cheveux de soie.

— Qui est-ce? demanda-t-elle.

— Elaine Simpson. Je vois que les bruits qui courent ne sont pas sans fondement.

— Quels bruits?

— On dit qu'ils sortent ensemble.

Laura maîtrisa parfaitement sa voix.

— Et pourquoi pas? Serait-elle la brebis galeuse d'Eddlestone?

Robert éclata de rire :

— Plutôt la poule aux œufs d'or! C'est la fille d'Harold Simpson.

— Le principal concurrent de Grantley?

Robert hocha la tête.

— On peut compter sur notre grand patron pour se trouver une fille tout en haut de la montagne qu'il essaie de gravir!

Laura parvenait difficilement à analyser ses émotions. Ainsi, la fille ne se contentait pas d'être jolie. Elle était également riche et nantie d'un père qui faisait autorité dans l'univers de Jake Andrews. Laura se demanda ce qui comptait le plus aux yeux de Jake : la beauté de la fille ou la situation du père. Elle parvint à la seule conclusion qu'il était impossible de répondre à cette question et inquiétant de s'y attarder.

— Allons-nous leur proposer de les ramener? interrogea Robert.

— Certainement pas! trancha Laura.

Elle avait mis dans sa voix tout le poids de son émotion. D'ailleurs, d'où venait cette émotion chaque fois qu'il était question de Jake Andrews? Etait-elle à ce point humiliée par l'aveu de son indifférence?

— Tu le hais vraiment, constata Robert.

— Il m'énerve, c'est tout.

La foule se dispersait et Robert accéléra.

— De toute façon, ajouta Laura, il n'y a pas de souci à se faire pour eux!

Elle désigna à Robert une voiture de sport qui démarrait lentement, la fille blonde au volant.

Le jeune homme émit un sifflement admiratif et Laura demanda avec une fausse gaieté :

— Ne regrettes-tu pas que mon père ne soit qu'un pauvre ingénieur laborieux?

— Au contraire. Je n'aurais jamais osé te demander de sortir avec moi s'il était aussi riche qu'Harold Simpson.

— Pourquoi donc? Les barrières de classe n'existent plus de nos jours.

— Tu crois vraiment? Si c'est l'homme qui est riche, il n'y a aucun problème. Il peut épouser une fille sans un sou sans attirer les critiques. Mais si c'est la fille qui a de l'argent, même si elle est belle comme un ange, tout le monde dira que le pauvre type qui se marie avec elle n'en veut qu'à son porte-monnaie!

— A moins qu'il ne soit également aisé.

Robert secoua la tête.

— Dans ce cas, il s'agit d'un mariage de raison.

— Quel cynique tu fais! Mais tu as sans doute raison.

Son compagnon lui prit la main.

— Voilà en tout cas un problème que nous n'avons pas. Personne ne peut dire que nous sortons ensemble par intérêt ou par ambition.

— Est-ce ce que l'on dit à propos de Jake Andrews?

— Non, reconnut-il. Ce n'est pas le genre de type à épouser une fille qu'il n'aimerait pas. S'il voit autant Elaine, c'est qu'il en a vraiment envie.

Comme ils traversaient Manchester, Robert proposa :

— Et si on passait la soirée ici? On pourrait aller au spectacle.

— Ça m'ennuie de laisser papa seul trop longtemps.

— Ton frère ne doit pas venir?

— On ne le voit pas souvent en ce moment.

— J'aimerais bien le connaître, dit Robert. Est-ce qu'Andrews l'a déjà rencontré?

— Non, mais tu sais, il ne passe pas sa vie à la maison.

— Il avait l'air de se sentir comme chez lui, l'autre jour.

— Ne joue pas les amoureux jaloux, je ne trouve pas ça drôle du tout.

La voix de Robert prit un ton résigné.

— Mais tu ne peux pas nier qu'il est l'idéal de la plupart des femmes. Séduisant, intelligent et sûr de lui.

— Si sûr de lui que c'en est horripilant. Il me laisse de glace.

Elle se souvint que Jake avait employé les mêmes mots en parlant d'elle peu de temps auparavant et l'humiliation la piqua au vif.

— Je crois que je vais quand même appeler papa pour lui dire de ne pas m'attendre, décida-t-elle.

— Chic alors! Que dirais-tu d'aller dans un cabaret? A moins que tu ne trouves pas ce genre d'endroit assez civilisé?

— Je garderai les yeux dans ma poche! promit Laura.

Ils rirent ensemble, puis se mirent à la recherche d'une cabine téléphonique. Robert avait retrouvé son humour et Laura voulut se convaincre qu'elle avait le cœur tout aussi léger. Mais ce n'était qu'une gaieté de surface, elle le savait bien. La peur de découvrir la raison de sa tristesse profonde la tenaillait plus que jamais.

5

L'orgueil de Laura était très éprouvé par la vision de la jolie blonde au bras de Jake. C'était une chose d'être dédaignée par un homme qu'elle estimait grossier et tyrannique. C'en était une autre de découvrir qu'il s'affichait avec la créature la plus désirable et la plus luxueuse qu'elle eût rencontrée depuis son arrivée dans le Nord.

Jusque-là, elle avait admis l'indifférence de Jake comme un fait acquis. A présent, elle ne pouvait plus le croiser sans se sentir parfaitement insignifiante. Et, malgré ses scrupules, elle trouvait une certaine consolation dans l'adoration inconditionnelle de Robert.

Pourtant, quelques semaines après leur sortie à Manchester, elle estima qu'elle devait lui rappeler sur quel plan elle souhaitait maintenir leurs relations.

— Tu me l'as déjà dit, Laura. Mais je tenterai ma chance aussi longtemps que tu seras libre.

— Tu perds ton temps, Robert.

— J'en suis seul juge. Tu es la fille la plus extraordinaire que j'aie jamais connue. Belle, intelligente, spirituelle...

— Ne dis pas de bêtises! A Londres, tu ne m'aurais même pas accordé un regard. Mais ici, en l'absence de point de comparaison, tu me vois mieux que je ne suis.

— Tu veux dire que je suis tombé amoureux de toi parce que je n'avais rien d'autre à me mettre sous la dent?

— Exactement.

— Et Elaine Simpson? Elle n'est pas assez jolie?

Laura déglutit péniblement.

— Pourquoi me parles-tu d'elle?

— Je la connaissais bien avant de te rencontrer. Nous étions au lycée ensemble et je suis sorti plusieurs fois avec elle. Avec quelques-unes de ses amies, aussi.

Robert se passa la main dans les cheveux. Ils se dressèrent sur sa tête, ce qui le fit paraître encore plus jeune.

— Je n'étais pas aussi sevré de charmes féminins que tu sembles le croire, reprit-il. Je ne prétends pas être Casanova, mais je ne suis pas non plus un moine!

Il prit la main de Laura qui ne la lui retira pas. Ils se promenaient comme d'habitude à travers les landes et restèrent un moment silencieux. Mais la jeune fille continuait à penser à Elaine Simpson et ne put se retenir d'interroger encore Robert.

— Est-elle aussi intelligente que jolie?

— Qui ça?

Laura rougit. Elle oubliait qu'elle n'avait pas pensé tout haut.

— La fille... celle que nous avons vue avec Jake Andrews.

Elle espéra que sa voix était aussi détachée qu'elle le voulait.

— Tout dépend de ce que tu veux dire par intelligente. Elle sait sûrement ce qui est bon pour elle. Mais si tu parles d'esprit intellectuel, c'est plus difficile à dire. Elle a quitté le lycée pour partir aux Etats-Unis et n'est rentrée que depuis quelques mois.

Laura ne tourna pas la tête.

— Alors, elle ne connaît pas Andrews depuis très longtemps.

— Non. Je ne pense pas qu'ils se soient rencontrés auparavant. Notre cher patron était bien trop occupé par sa carrière pour s'intéresser aux femmes.

— Avec la fille d'Harold Simpson, il ne peut mieux s'occuper de sa carrière!

— Je t'ai déjà expliqué qu'il ne se marierait sûrement pas pour cette raison-là. Mais si tu y tiens...

Robert avait l'air sceptique. Mais loin de l'agacer, cette attitude la soulagea étrangement.

— Rentrons, dit Laura. J'ai froid. Nous aurons, paraît-il, un Noël blanc. Mais je me demande bien à quoi va ressembler un Noël à Eddlestone.

— A ce que tu voudras! décréta Robert. Je n'ai pas l'intention de te laisser te morfondre chez toi. Elaine m'a invité à une soirée et je voudrais que tu m'accompagnes.

Laura s'immobilisa.

— Mais c'est impossible, je n'ai jamais vu cette fille.

— Et alors! Je lui ai dit que j'amenais une amie.

— Je ne veux pas laisser papa seul à la maison.

— Quel bon prétexte! Tu sais parfaitement qu'il n'aime pas que tu le traites comme un enfant.

Laura réalisa que ses arguments ne tenaient pas debout et finit par déclarer :

— On verra. Noël, c'est dans trois semaines.

— Tu viendras, insista Robert. Ne perds pas ton temps à chercher de bonnes excuses, sinon je croirai que tu es jalouse d'Elaine.

La jeune fille prit une aspiration profonde.

— Pourquoi serais-je jalouse d'elle? C'est stupide.

— Alors tu viendras avec moi?

— Tu me fais du chantage... Je viendrai.

A l'approche de Noël, les petites boutiques d'Eddlestone se paraient d'un air de fête. Contrairement à ceux de Londres, les commerçants faisaient preuve d'une réelle bonne volonté. Elle fut surprise de trouver chez le marchand de légumes un choix très satisfaisant, et l'épicier lui proposa de commander pour elle les « produits étrangers » dont elle pourrait avoir besoin.

— Maintenant, vous faites partie du pays, expliqua-t-il. On ne va quand même pas vous laisser faire vos courses à Manchester. Et puis, si ça se trouve, vous amènerez peut-être les autres gens à faire une cuisine un peu plus variée.

— J'en serais ravie, assura-t-elle, mais je ne vois pas comment ce serait possible.

— Vendez quelques-unes de vos recettes à des commerçants, tout simplement!

Laura réfléchit un instant.

— C'est une excellente idée. Si je prépare un plat particulièrement réussi, me permettrez-vous d'en faire goûter à votre femme?

Il eut un large sourire.

— Parfait. Ma femme est une vraie pipelette!

La jeune fille et le marchand eurent un rire de connivence qui scella leurs nouvelles relations.

Nell Rampton elle-même décida d'oublier la susceptibilité de Laura et apparut un samedi dans la cuisine des Winters, un gâteau à la main.

— Votre père avait aimé celui que je lui avais fait et comme j'ai préparé deux fois trop de pâte, je ne veux pas le laisser se perdre.

— Il sent merveilleusement bon! avoua Laura. Je vais préparer du café. A moins que vous préfériez du thé?

— Du thé, sûr! clama la commère. Pas question de se désolidariser du Yorkshire en admettant que je préfère le café!

— Je ne le répéterai à personne, promit Laura.

— Alors, allons-y pour le café!

Rentrant plus tôt que prévu, John Winters surprit les deux femmes dans la cuisine. Son air épanoui donna des remords à Laura. Il souhaitait tant la voir heureuse à Eddlestone! Si seulement elle pouvait se faire à cette vie. Mais c'était impossible de renoncer ainsi au reste du monde.

Le soir même, comme elle essayait d'expliquer à son père ce qu'elle éprouvait, il décréta :

— Si tu t'attachais à quelqu'un d'ici, tu t'adapterais volontiers à Eddlestone.

— En tout cas, ne me suggère pas Robert!

— Je ne te suggérerai personne. Ce serait le meilleur moyen de te faire fuir!

Laura jeta à son père un regard inquisiteur. Sous son air innocent, elle décela de la malice.

— Je suppose que tu me considères comme une femme exceptionnellement têtue.

— Pas plus que la majorité des femmes.

Il changea aussitôt de sujet, et elle n'eut pas l'occasion de lui répondre ce qu'elle pensait de ce jugement.

Laura avait espéré que Tim passerait avec eux le week-end de Noël, mais elle fut déçue de l'entendre annoncer, dès son arrivée le vendredi soir, qu'il repartirait le lendemain. Laura protesta, mais il ne céda pas.

— Je déjeunerai avec vous le jour de Noël. Sincèrement, Laura, qu'est-ce que je pourrais faire d'amusant dans ce trou perdu?

— Passer tranquillement quelques jours en famille, répondit-elle. Ça changerait un peu. Tu n'es pas venu depuis une éternité.

— J'ai eu beaucoup de travail!

Laura le fixa d'un œil tellement incrédule qu'il rougit jusqu'à la racine des cheveux.

— Enfin, je n'ai pas travaillé tout le temps, reconnut-il. Mais je terminais mes journées si tard que je n'avais pas le courage de venir jusqu'ici.

— C'est justement pour cette raison que j'espérais te garder tout le week-end!

— Je viendrai la semaine d'après.

— C'est le nouvel An.

Il fit la grimace.

— J'oubliais. Alors ce sera pour la semaine suivante, si tu veux.

— D'accord.

Elle se détourna. Inutile de prolonger cette discussion. Il fallait prendre Tim tel qu'il était. Laura l'aimait d'ailleurs suffisamment pour passer sur ses défauts. Elle l'aimait peut-être même trop, car il avait souvent abusé de sa tendresse et n'hésiterait pas à recommencer.

— Ne sois pas fâchée, plaida-t-il. Il ne faut pas m'en vouloir d'avoir envie de m'amuser un peu.

— J'allais te proposer de nous accompagner à une soirée, Robert et moi.

Tim feignit un frisson.

— Epargne-moi la vie nocturne d'Eddlestone! D'ailleurs, ça me paralyserait de sortir avec ma sœur.

Laura ne put s'empêcher de relever cette réflexion.

— Tu n'as jamais cette impression quand il s'agit de me demander un service!

— Tu serais furieuse que je ne m'adresse pas à toi. Et puis, comme ça, tu es toujours la première informée.

L'occasion était trop belle pour que la jeune fille la laisse passer.

— Vraiment? Alors peux-tu me dire pourquoi tu as quitté Grantley pour aller dans le Nord? Et ne viens pas me raconter que c'est à cause de papa.

— Mais c'est pourtant vrai. J'en avais assez d'être sous sa surveillance.

— Je n'en crois rien. Sois honnête avec moi. As-tu fait quelque chose de mal?

— Oui. J'ai volé les bijoux de la Couronne!

Le visage de Tim, si semblable à celui de sa sœur, s'était empourpré de colère.

— Ecoute, Laura, si tu continues à me casser les pieds, je ne viendrai plus du tout à la maison!

— Je n'ai pas l'intention de te supplier à genoux, commença-t-elle.

— Alors, s'il te plaît, cesse de me rabâcher à quel point tu es bonne pour moi, ça devient assommant!

Laura se détourna pour cacher le chagrin que lui causait la dureté de Tim. Soudain, elle sentit la main de son frère se poser sur son épaule.

— Pardonne-moi, Laura. Je n'en pensais pas un mot. Je suis un peu fatigué, aujourd'hui. Mais tu sais bien que je ne voudrais te faire de peine pour rien au monde.

Elle le regarda tendrement, touchée par cette démonstration inhabituelle de tendresse.

— C'est à moi de m'excuser, Tim. Je n'ai pas le droit de te poser des questions de cette manière.

— Si, protesta-t-il. Tu es une sœur merveilleuse et je le sais parfaitement. Je dois avouer que j'avais une raison précise de quitter Grantley. Mais je te raconterai toute l'histoire un autre jour.

Le jour de Noël, juste après le déjeuner, Tim enfourcha sa moto après leur avoir promis de venir quelques jours au mois de janvier. Laura le suivit des yeux jusqu'à ce qu'il ait tourné au bout de la route, puis, retourna au salon, vaguement mal à l'aise.

Le ciel était lourd de neige et les rues désertes, à peine éclairées d'une lueur grise. John Winters regardait la télévision, éclairé par une lampe dont le doux rayonnement faisait chatoyer ses cheveux argentés. Il semblait insouciant, comme avant la mort de sa femme et Laura se rappela tout à coup qu'il n'avait que cinquante-cinq ans. C'était désolant de le voir condamné à une éternelle solitude.

La jeune fille s'approcha de son père et lui caressa doucement la joue.

— Je vais téléphoner à Robert pour lui dire que je n'irai pas à cette soirée chez les Simpson. Ça ne me dit rien.

— Pourquoi donc?

— Je ne connais même pas la fille qui reçoit. J'aimerais mieux rester à la maison. Il reste des tonnes de dinde froide. Je peux préparer une salade et...

— Vas-y, Laura, je te le demande. Je voudrais que tu me donnes ton avis sur Harold Simpson, si tu as la chance de le rencontrer, bien sûr.

— Tu es curieux d'en savoir davantage sur le rival de Grantley? taquina Laura.

— Sur un vieil ami, corrigea son père. J'étais à l'école avec lui. Et nous avons fait nos études d'ingénieur ensemble.

— Tu ne m'avais jamais dit ça!

— Nous nous sommes perdus de vue quand je suis parti pour Londres.

Laura ne put dissimuler un mouvement d'humeur.

— Enfin, papa, si tu avais travaillé chez lui, et non chez Grantley, tu ferais partie de la direction à présent!

— Ou en train d'y faire le ménage! Harold n'était déjà pas facile avant d'être riche. Dieu sait ce qu'il est devenu maintenant.

— Il peut se permettre d'être charmant.

— Eh bien, va t'en assurer ce soir. Tu me diras.

— A présent j'ai une raison d'aller à cette soirée. Mais si Harold Simpson ressemble à sa fille, je ferai en sorte que tu l'évites.

John Winters parut surpris.

— Je ne savais pas qu'il avait une fille. Je croyais que c'était sa sœur, Beth qui donnait la réception.

Laura maugréa.

— Elle ne doit pas être toute jeune!

— Elle n'a sûrement pas plus d'une quarantaine d'années, ce qui représente sans doute, à tes yeux, un âge canonique!

— Depuis que j'ai dépassé vingt ans, la quarantaine me paraît chaque jour un peu plus jeune! Mais comment se fait-il qu'elle vive encore avec son frère?

— Elle n'est pas mariée.

— Je vois que tu n'as pas perdu tout contact avec la famille Simpson!

John Winters protesta, penaud :

— Uniquement grâce aux commérages de Nell Rampton! Beth est très aimée dans la région. L'argent ne semble pas l'avoir beaucoup changée. Elle travaille énormément et roule en moto.

— Sa nièce, elle, roule en Alfa-Roméo!

— Je croyais que tu ne la connaissais pas?

— Je l'ai seulement entrevue à Manchester, une fois. Elle était avec Jake Andrews.

Son père haussa des sourcils grisonnants.

— Tiens donc! Quel âge peut-elle avoir?

— Le mien, à peu près. Elle est très séduisante, avec de longs cheveux blonds, mince... Enfin, tu vois le genre.

— Oui, excitante, quoi!

Laura pensa aussitôt à Jake et se mit à arpenter le salon.

— Curieux que Jake sorte avec la fille d'Harold...

John Winters parlait à mi-voix, comme pour lui-même.

— ... Jake, avec ses compétences, peut lui être utile.

— C'est bien ce que je pensais.

— Jake n'a besoin de l'aide de personne. Chez Grantley, on lui a proposé d'entrer au conseil d'administration. Ce sera annoncé officiellement courant janvier.

— L'enfant du pays se débrouille bien, bougonna la jeune fille.

— On ne peut mieux, confirma son père. Et ce n'est pas fini. Retiens ce que je te dis, ma petite fille, il sera président avant d'avoir quarante ans.

Laura estima qu'elle en avait assez entendu, et elle se dirigea vers la porte.

— Si je vais à cette soirée, je ferais bien d'aller me préparer.

Une fois dans sa chambre, Laura examina sa garde-robe et regretta de ne pas avoir demandé à Robert comment elle devait s'habiller. Elle ne voulait pas arriver en robe du soir au milieu de gens en chandail et pantalon. Elle descendit téléphoner au jeune homme, redoutant d'avoir à échanger des propos sans intérêt avec la mère de Robert, qui ne cachait pas son désir d'avoir Laura pour belle-fille. Par chance, c'est Robert qui répondit au téléphone, tout heureux d'entendre la voix de la jeune fille.

— J'étais justement en train de regarder ma montre en me demandant comment j'allais tuer le temps avant d'aller te chercher.

— Viens quand tu veux. Tim a dû partir, et papa sera content de bavarder avec quelqu'un.

— Et toi?

— Je me prépare. C'est d'ailleurs la raison de mon appel. Je voulais savoir ce que je dois mettre.

— Le moins de choses possible!

— Sois sérieux, Robert! S'agit-il d'une soirée habillée ou décontractée?

— Les deux à la fois!

Il baissa la voix.

— Comment es-tu habillée, en ce moment?

— En jupon de dentelle, avec des bigoudis sur la tête, gloussa Laura. D'ici quelques années, tu seras un vieux dégoûtant!

Elle s'empressa de mettre un terme à leur entretien.

Elle n'était pas tout à fait prête quand elle entendit Robert dire bonsoir à son père. Elle n'avait décidément pas une folle envie de se rendre à cette invitation. Non seulement ça l'ennuyait de quitter son père le soir de Noël, mais elle n'était pas enthousiasmée de rencontrer publiquement Jake Andrews.

Elle descendit à contrecœur, mais se consola un peu à la vue de l'admiration inscrite sur le visage des deux hommes.

— Suis-je présentable? Demanda-t-elle.

— Somptueuse! corrigea Robert.

Laura vit le regard du jeune homme s'attarder sur ses hanches minces et ses longues cuisses moulées dans un pantalon de velours. Elle se détourna pour embrasser son père.

— Je vais préparer ton dîner sur un plateau et...

— Pas la peine. Nell est passée tout à l'heure pour m'inviter à dîner. Je te disais bien qu'on apprécie toujours un jour ou l'autre d'avoir de gentils voisins.

Laura lui sourit.

— Tu as décidé de me faire revenir sur mes opinions, n'est-ce pas?

— Si seulement c'était possible! Mais je sais que tu ne te feras jamais à ce pays.

— Pourtant, je fais de mon mieux pour l'y aider, intervint Robert.

Laura lui coupa la parole.

— Et si on y allait?

Sans protester le moins du monde, le jeune homme l'aida à enfiler le manteau de daim qu'elle s'était offert dans un moment de folie. Au moins ne ferait-elle pas figure de pauvresse chez les Simpson!

La nuit était étonnamment agréable. Le ciel s'était éclairci et la lune brillait dans un firmament sans nuages.

— Nous arrivons, annonça soudain Robert.

Laura se rendit compte qu'ils avaient quitté Eddlestone. Ils roulaient le long d'une allée sineuse, bordée d'arbres.

— La maison doit être grande, je suppose?

— Enorme, répondit Robert, comme tu peux en juger par le portail!

Ils passèrent entre des grilles massives, qui montaient la garde à l'entrée d'une allée bien entretenue, puis Laura aperçut la maison. C'était une immense bâtisse gothique, qui, sans les fenêtres brillamment éclairées, devait avoir l'air assez fantomatique.

Nerveuse, Laura gravit derrière Robert la volée de marches qui arrivait dans un hall carré, dallé de marbre, qui reflétait comme un miroir un ravissant mobilier Chippendale. On sentait dans cet arrangement la main d'une personne de goût, qui n'était sans doute pas celle qui avait choisi la maison elle-même.

Au fond du hall, une porte ouverte à deux battants permettait d'entrevoir deux pièces splendides, grouillant de monde. A la vue des robes sophistiquées arborées par des femmes d'âge mûr, Laura se tourna vers Robert avec indignation :

— Et toi qui parlais de s'habiller en toute simplicité!

— Ce n'est pas là que nous allons, nous, chuchota Robert avec bonne humeur. Elaine fait toujours ses sauteries dans la salle de billard. Mais j'ai pensé que tu aimerais d'abord rencontrer le rival de Grantley.

Il avait à peine fini sa phrase, qu'un homme corpulent vint à leur rencontre. La main de Laura fut prise dans une étreinte aussi dure que la bouche mince qui lui souriait.

Comme Robert la présentait à Harold Simpson, celui-ci remarqua :

— Londonienne, hein? Et que faites-vous par ici?

— Mon père travaille chez Grantley.

— Votre père...

Le regard bleu se plissa.

— Son prénom ne serait-il pas John, par hasard?

— Si. Il m'a demandé de vous présenter son bon souvenir.

— Ah oui? Rien d'autre? Donnez-moi vite son numéro de téléphone que je l'appelle.

— Il dîne chez des amis.

— Alors, vous lui direz que j'étais très mécontent d'apprendre qu'il habite Eddlestone et qu'il ne m'a pas donné signe de vie.

Laura ne répondit pas, mais son regard devait être éloquent, car Simpson grommela en lui tapotant la main :

— Il n'y a pas de problème d'argent entre votre père et moi. Annoncez-lui que c'est moi qui irai lui rendre visite s'il est trop snob pour venir chez moi.

Une petite brune potelée, d'une quarantaine d'années, vint vers eux d'un air enjoué.

— Je suis Beth Simpson. Et vous devez être la créature de rêve qui s'occupe de la cantine de Jake.

Laura ne cacha pas son étonnement.

— Comment le savez-vous?

— Il m'a parlé de vous. Je vous ai aperçue à l'hôpital. J'y travaille. Vous partiez au moment où j'arrivais.

La curiosité de la jeune fille prit le dessus.

— Et que faites-vous à l'hôpital?

— Je suis infirmière en chirurgie.

— Grands dieux!

— Vous savez, je serais morte d'ennui si j'avais dû me contenter de rester à la maison à profiter de mes richesses! Je préfère être occupée et heureuse.

Elle lissa sa robe dont la couleur scintillante ne faisait rien pour la mincir. Mais Laura fut séduite par son visage chaleureux, sa bouche mobile et ses yeux qui irradiaient la joie de vivre.

— Enfin! Je ne vais pas vous retenir plus longtemps, poursuivit Beth Simpson.

Elle se tourna vers Robert.

— Ça fait un bail qu'on ne vous a pas vu par ici, jeune homme!

— Elaine a d'autres chats à fouetter!

— Vous aussi, apparemment! Mais je ne suis plus étonnée, maintenant que je connais l'heureuse élue.

Laura s'écarta légèrement de Robert, qui la tenait par le coude. Elle ne tenait pas à ce que le bruit coure qu'ils allaient bientôt se marier. Les commérages allaient bon train, dans la région!

— Est-ce qu'il n'était pas question d'une surprise-partie? demanda-t-elle gaiement.

Avec un regard de compréhension, Beth s'excusa et les fit descendre au sous-sol. Il y faisait plus froid et Laura ne put s'empêcher de frissonner. Beth Simpson s'en rendit compte et expliqua :

— Harold ne veut pas installer le chauffage central dans cette partie de la maison. Il dit que c'est du gaspillage. Je ne cesse de lui répéter que chauffer la salle de billard avec des radiateurs électriques revient encore plus cher, mais il est têtu comme une mule!

— Les hommes du Yorkshire sont ainsi, approuva Laura.

— Votre père ne l'a pourtant jamais été!

— Il faudra que je lui répète ça!

Beth Simpson rougit légèrement. Elle ouvrit une porte et s'exclama :

— Et voilà la cage aux fauves!

C'était à peine une formule. Une foule compacte, habillée de la façon la plus hétéroclite, s'agitait au rythme d'une musique trépidante provenant d'un petit orchestre, dans le coin de la pièce.

— Elaine!

Beth hurla pour couvrir le bruit. Elle attrapa par le

bras la créature blonde qui se balançait sur la piste de danse.

— Encore deux de tes invités, Elaine. Tu connais Robert, mais je voudrais te présenter Laura Winters. Vos pères étaient à l'école ensemble.

— Grand bien leur fasse!

La voix rauque de la fille cadrait parfaitement avec son physique plus séduisant encore que dans le souvenir de Laura. Elle avait des cheveux brillants comme de la soie et des yeux d'un vert qui n'avait pas l'air vrai, sous de longs cils. Elle était menue, mais parfaitement faite, avec de petits seins ronds et une taille de guêpe. Seule la bouche pleine, sensuelle, démentait son air d'ingénue. Mais il n'y avait rien d'innocent en cette fille, qui éclatait de sensualité, et Laura se demanda si Jake avait goûté au nectar de cette fleur capiteuse. Puis elle chassa bien vite cette pensée.

Indifférente à l'examen dont elle était l'objet, Elaine adressa à Robert un sourire artificiel :

— Quel plaisir de te revoir, après tout ce temps! Je croyais que tu m'avais oubliée.

— Je pourrais t'en dire autant, répliqua Robert, mais je sais que tu ne t'intéresses plus au menu fretin.

— A présent, je vais à la pêche au gros! lança-t-elle d'une voix satisfaite.

Elle se tourna vers Laura et lui sourit brièvement.

— Etes-vous venue pour les vacances, mademoiselle Winters?

— Je vis ici avec mon père. Nous travaillons tous deux chez Grantley.

— Alors, vous êtes sans doute la fille dont Jake m'a parlé, celle qui s'occupe de la cantine? Je ne m'attendais pas à vous voir si... si...

Elle battit l'air de ses doigts aux ongles vernis.

— D'après la description de Jake, je vous imaginais laide et mal fagotée!

Faute de pouvoir répondre poliment à ce commentaire, Laura se contenta de sourire. Elle refusait de croire que, même si elle n'était pas son type de femme, il ait parlé d'elle en termes si peu flatteurs. En fait, c'était sûrement le dépit de rencontrer quelqu'un capable de rivaliser de beauté avec elle qui l'amenait à se montrer désagréable. Ce qui prouvait également qu'elle redoutait encore qu'on lui enlève Jake.

— Je ne voulais pas être grossière, fit Elaine d'une voix de petite fille. Mais je dis toujours ce que je pense.

— Tiens! Vous pensez donc! rétorqua Laura sur le même ton.

Elle entendit un petit rire derrière elle. Elle se retourna et vit Jake, dans un pantalon ajusté et un chandail lie-de-vin qui lui réchauffait le teint et faisait paraître ses cheveux encore plus sombres. En comparaison, tous les autres hommes de l'assemblée avaient l'air insipides.

— N'engage pas de joute oratoire avec Laura, suggéra-t-il à Elaine. J'ai moi-même du mal à gagner, avec elle.

Il posa un baiser léger sur la joue d'Elaine, qui se blottit aussitôt contre lui d'un air possessif.

— Tu es en retard! lui reprocha-t-elle gentiment. Travailler le jour de Noël. Tu ne te reposes donc jamais?

— Si. Maintenant, dit-il.

Et il l'entraîna sur la piste de danse. Elaine se nicha dans ses bras d'un air à la fois languissant et triomphant. Par-dessus sa tête blonde, Laura rencontra le regard de Jake et se détourna immédiatement, vibrante de colère.

— Ils forment un beau couple, fit observer Beth. Et Jake est le seul homme capable de mater Elaine.

— Pourvu que votre nièce puisse aussi le mater.

Beth regarda Laura en face.

— Jake n'a pas si mauvais caractère. Mais on dirait que vous ne l'aimez pas beaucoup.

— Il n'est pas toujours facile. Et puis il travaille sans arrêt.

— Ce n'est quand même pas un vice! Du reste, chez Jake, c'est une si vieille habitude qu'il ne pourrait plus faire autrement.

— Ne me dites pas qu'il a nourri sa mère, veuve, dès l'âge de huit ans!

— Douze, pour être exact, précisa lentement Beth.

Laura se sentit brutalement glacée.

— Je... je ne savais pas. C'était seulement une plaisanterie.

— Je m'en doutais. Mais Jake n'a pas dû trouver cela amusant, lui.

La batterie interdisait à présent d'échanger des paroles audibles. Quand elle s'apaisa, Robert se pencha vers Laura et lui désigna le buffet.

— Je meurs de faim. Qu'en pensez-vous, mesdames?

— Rien pour moi, précisa Beth.

— Et très peu pour moi, ajouta Laura.

La jeune fille était contente de le voir s'éloigner. Elle mourait d'envie d'en savoir davantage sur la vie de Jake Andrews.

— Le père de M. Andrews est mort quand il était encore très jeune, remarqua-t-elle.

— Il est parti, rectifia Beth. Quand il a abandonné Jake et sa mère, le petit garçon avait cinq ans. Personne n'a plus jamais entendu parler de lui. Il a juste laissé une lettre pour dire qu'il ne supportait pas de vivre avec une femme malade.

— Une femme malade?

— Oui. La mère de Jake avait une sclérose en plaques. Avant, c'était un incroyable boute-en-train.

Elle est morte il y a deux ans. Jake a été merveilleux avec elle. Il ne l'a jamais quittée d'une semelle.

— Quand je pense qu'il m'a dit un jour qu'il fallait abattre les femmes malades comme des chevaux!

— C'est bien de lui! coupa Beth. Plaisanter avec ce qui le touche le plus. On ne fait pas de plus gentil garçon.

Dans le silence qui suivit cette déclaration, Laura vit Robert revenir du buffet avec deux assiettes. Elle reprit rapidement :

— Il a dû se donner du mal pour en arriver là où il en est actuellement?

— Il a travaillé jour et nuit. Heureusement qu'il est d'une intelligence rare. Pour ne pas quitter sa mère, il a refusé d'aller à Cambridge où il était admissible. Il est allé à l'université de Manchester. Il rentrait tous les soirs à la maison. Au lieu de courir les filles, il a préféré se consacrer entièrement à sa mère.

La voix de Beth semblait enrouée.

— Ils n'ont jamais emprunté un sou à quiconque, reprit-elle. Ils étaient trop fiers pour ça.

— Je suppose, fit Laura, que quand vous avez été une fois abandonné, vous ne voulez plus devoir rien à personne. Mieux vaut renoncer à ce que vous ne pouvez pas vous procurer par vous-même.

— C'est une façon de considérer les choses. Mais ce serait dommage que Jake soit de cet avis, à présent.

— Que voulez-vous dire?

Beth tendit la main en direction du couple en train de danser. Si l'on pouvait nommer ainsi la manière dont ils se tenaient enlacés, les pieds presque immobiles, avec une totale impudeur.

— Elaine le veut, crut devoir préciser Beth, et Harold n'a pas de fils. Mais jusqu'à présent, Jake a toujours refusé de quitter Grantley.

A présent, Laura ne ressentait plus la moindre colère

devant les relations de Jake et Elaine. Il était peu probable qu'un homme arrivé à sa situation présente sans l'aide de personne se marie pour satisfaire ses ambitions. S'il épousait Elaine, ce serait par amour. Mais comment pouvait-il être assez aveugle pour ne pas voir combien cette fille pouvait être futile, et sans doute égoïste?

Robert était revenu chargé de victuailles, mais Laura n'avait plus faim. Pour ne pas vexer son ami, elle piqua malgré tout sa fourchette dans un morceau de poulet.

Elle continua de parler avec Beth, pour laquelle elle éprouvait une sympathie instinctive et découvrit qu'elle avait organisé un petit club de musique et monté un groupe de spéléologues amateurs. Beth lui proposa de se joindre à l'une ou l'autre de ces activités et Laura accepta aussitôt.

Un peu plus tard, Jake Andrews vint l'inviter à danser. Elle faillit refuser, mais le regard malveillant d'Elaine la fit se raviser. Par provocation, elle se glissa avec grâce dans les bras de Jake. Mais quand elle voulut reprendre ses distances, il l'en empêcha en la serrant contre lui.

— Ah non! Vous ne m'échapperez pas comme ça! Je vais vous montrer comment l'on danse, de nos jours.

Il posa la tête contre les cheveux de la jeune fille qui ressentit un trouble étrange à cette soudaine intimité.

Elle sentait qu'il la faisait marcher et refusa de mordre à l'hameçon.

— De nos jours, on danse comme ça, insista-t-il perfidement.

Et il se pencha vers elle, le menton dans ses cheveux, en la tenant étroitement enlacée. La jeune fille sentait contre son oreille la caresse de son souffle tiède. Il ne lui était encore jamais arrivé de ressentir à ce point la présence physique d'un homme. Et elle se demanda pourquoi, malgré l'antipathie qu'elle avait pour lui, elle tremblait ainsi.

— Alors, vos boucles ne sont pas en acier, murmura-t-il.

Ses lèvres étaient tout contre la chevelure rousse de Laura.

— Elles sont douces comme des plumes, ajouta-t-il.

La jeune fille ne put s'empêcher d'éclater de rire.

— Vous auriez pu dire : comme du duvet!

— Et risquer que vous me reprochiez mon romantisme!

— S'il est un reproche que je ne pourrais pas vous faire, monsieur Andrews, c'est bien celui-là!

— Quant à moi, je pourrais vous reprocher d'être vieux jeu. Je m'appelle Jake.

Sa voix se fit plus grave.

— Laura... C'est un très beau nom. Paisible et doux.

— A mon image? ironisa-t-elle.

— Pourquoi pas, si vous le vouliez? L'ennui est qu'avec moi, vous êtes toujours sur la défensive.

Elle resta silencieuse, et il la secoua doucement.

— Allons, c'est Noël. Faites un petit effort.

Laura leva vers lui un visage souriant.

— Vous devriez faire cela plus souvent, remarqua-t-il avec conviction.

Avant qu'elle ait pu lui répondre, la musique s'arrêta et ils se retrouvèrent à côté de Robert et d'Elaine. Celle-ci s'adressa à Jake d'un ton de reproche.

— C'est la dernière fois que tu m'abandonnes ce soir. Il s'agit d'une fête de Noël, pas d'une soirée professionnelle!

Suffoquée par cette grossièreté, Laura s'attendit à voir Jake remettre vertement Elaine à sa place. Mais il parut seulement amusé et lança en riant :

— Un jour, je tordrai ton joli petit cou!

— Du moment que tu es suspendu à mon cou... rétorqua Elaine.

La musique reprit et Laura se rapprocha de Robert.

— Je crois que nous sommes de trop, chéri.

Sans un regard pour Jake, elle suivit Robert sur la piste de danse d'un pas machinal. Elle pensa qu'elle avait bien failli se laisser attendrir par un homme dont son instinct lui dictait de se méfier. Le récit du passé de Jake avait fait vibrer une corde sensible, mais elle ne se laisserait pas prendre deux fois à l'histoire du jeune homme acharné à s'occuper jusqu'à son dernier souffle de sa mère malade. Elle avait été naïve de prendre pour de véritables démonstrations d'amitiés un simple geste de politesse envers une employée compétente.

Elle dansait encore avec Robert quand les lumières, déjà tamisées, baissèrent encore et que la musique se faisait langoureuse.

— Voilà qui est mieux, approuva Robert.

Et il pencha la tête, cherchant les lèvres de Laura. Malgré son envie de fuir, elle subit passivement son baiser. Ce n'était pas la première fois qu'il l'embrassait, et, sans éprouver pour lui de passion, la tendresse qu'elle lui portait, rendait les élans du jeune homme assez agréables. Mais cette fois, elle ne parvenait pas à en éprouver le moindre plaisir. La jeune fille se demanda pourquoi elle avait tant de mal à faire semblant; après tout, c'était un soir comme les autres.

Mais un rire de gorge lui apporta aussitôt un démenti. Ce n'était pas un soir ordinaire, ne serait-ce qu'en raison de la présence de Jake et du jour nouveau sous lequel il lui était apparu. Laura entendit un autre éclat de rire. Tournant la tête, elle entrevit alors un visage pâle, encadré de cheveux blonds, sur lequel se penchait un visage bronzé. Elle trébucha et Robert marqua un temps d'arrêt.

— Quelque chose ne va pas?

— Non, pourquoi?

— Tu as l'air absente. Quand je t'ai embrassée, tu semblais à des lieues d'ici.

— Excuse-moi. Je... Je pensais à Tim.

C'était la première excuse qui lui était venue à l'esprit, et elle constata avec soulagement que Robert s'en contentait. Le jeune homme se détendit.

— J'aurais dû m'en douter. Pendant un instant, j'ai cru que tu en avais assez de moi.

— Dans ce cas, je ne t'aurais pas accompagné ici, ce soir. Je t'aime beaucoup, Robert.

— Y a-t-il une chance pour que...

— Non, coupa-t-elle. Mes sentiments pour toi n'ont pas changé.

Il haussa les épaules, comme devant une fatalité et changea de sujet.

— Pourquoi te fais-tu du souci pour ton frère?

— Je ne sais pas au juste. Quand il vivait avec nous je connaissais ses amis, je savais ce qu'il faisait. Mais maintenant, sa vie est un mystère et...

— Tim n'est plus un bébé, tu sais. Il a une bonne situation, tu l'as dit toi-même et il n'a pas de problèmes d'argent.

— Il a toujours besoin d'argent, objecta Laura. Je me dis parfois qu'il ne vient me voir que pour m'en emprunter.

— Laura!

Robert semblait si scandalisé que la jeune fille regretta aussitôt sa déloyauté envers son frère. Au diable Jake Andrews! C'était à cause de lui qu'elle se sentait troublée et inquiète. Et aussi, qu'elle parlait trop.

— Ne fais pas attention à moi, murmura-t-elle. Je n'aurais pas dû dire ça.

Désireuse d'en rester là, Laura se rapprocha de Robert. Il appuya aussitôt sa joue contre la sienne.

Bientôt, le rythme de la musique s'accéléra et la

lumière se ralluma complètement. La jeune fille émergea des bras de Robert et quitta la piste de danse. Aveuglée par la lumière, elle se heurta à quelqu'un qu'elle identifia à l'étreinte puissante des doigts autour de ses bras.

— Les étoiles dans vos yeux vous empêchent-elles de me voir?

Elle regarda Jake, contrariée à la vue des traces de rouge à lèvres qu'Elaine avait laissées sur sa bouche.

— J'y vois suffisamment pour me rendre compte que vous avez une drôle d'allure!

Il haussa les sourcils.

— Ah oui?

— Essuyez-vous la bouche, fit-elle brièvement.

Il sortit tranquillement son mouchoir et s'essuya les lèvres.

— Les femmes aiment laisser leur marque sur les hommes, commenta-t-il avec humour. Vous n'échappez pas à la règle, dirait-on.

Laura, mortifiée, aperçut alors les lèvres de Robert tachées de rouge.

— Toi aussi, tu peux enlever cela!

Les deux hommes se regardèrent et éclatèrent de rire, comme s'ils échangeaient une bonne plaisanterie aux dépends de l'espèce féminine.

— Jamais compris pourquoi les femmes se peignent ainsi, observa Jake.

Elaine s'agrippa à lui d'un air possessif.

— Parce que nous y gagnons en séduction, susurra-t-elle.

— Tu n'es déjà que trop séduisante, rétorqua Jake.

— Chéri...

Elaine avança vers lui une bouche engageante. Jake secoua la tête, un petit sourire au coin des lèvres.

— Assez, c'est assez, mon chou.

Exaspérée par la vanité de Jake, Laura saisit Robert par la main.

— Il est tard, rentrons!

— La soirée ne fait que commencer, protesta Elaine.

— Je suis fatiguée, s'excusa Laura.

— Ne me dites pas que vous avez préparé une dinde!

— Si, je dois l'avouer.

Elaine gloussa.

— Quelle merveilleuse maîtresse de maison! A côté de vous, je me sens tellement inutile!

— Je suis sûre que vous avez beaucoup d'autres qualités.

Elaine coula un œil vert en direction de Jake.

— Ai-je d'autres qualités, chéri?

— Une ou deux, répliqua-t-il. Mais si tu savais faire la cuisine, tu serais parfaite!

La jeune fille se jeta dans les bras de Jake avec un soupir de ravissement. Puis elle se tourna vers Laura.

— Au fait, vous pourriez peut-être me donner quelques leçons?

— De cuisine, je suppose?

Un ange passa, et Jake étouffa un rire.

— Je t'avais avertie de ne pas te battre avec Laura.

— Je ne savais pas que nous nous battions, fit Elaine d'un ton cassant. D'ailleurs à quel propos le ferions-nous?

— Deux jolies femmes ont-elles besoin d'une raison pour sortir leurs griffes?

Laura ignora délibérément cette provocation et adressa à Elaine un large sourire.

— Nous ferions mieux de nous faire les griffes sur les hommes, non? Vous vous occuperez de Jake et moi, de Robert.

D'abord prise au dépourvu par le revirement de Laura, Elaine réagit sans tarder, en appuyant longuement ses lèvres sur celles de Jake.

— Te voici marqué au fer, déclara-t-elle. Il ne me reste plus qu'à te passer la corde au cou!

— Je vais en faire autant, décida Robert.

Et il étreignit Laura.

— Je peux mieux faire, en privé! lança celle-ci.

Consciente du regard de Jake posé sur elle, elle s'empara du bras de Robert et lui dédia un regard rivalisant de provocation avec celui d'Elaine.

— Alors, qu'attend-on? s'impatienta Robert. Je serai le taureau le plus docile que tu aies jamais eu à prendre au lasso!

Un sourire amusé plaqué sur le visage, Laura murmura des remerciements pour la soirée et quitta la pièce sur les pas de Robert. Dans le couloir, sa gaieté tomba comme un masque. Elle s'en voulait terriblement de la scène qu'elle venait de jouer. Mais elle avait du moins démontré à Jake Andrews à quel point elle se moquait de sa vie privée.

— Attends-moi dans le hall pendant que je vais chercher la voiture, dit Robert. Je ne veux pas que tu attrapes froid.

Laura approuva de la tête et alla chercher son manteau, rangé dans un vestiaire au milieu de visons et de zibelines. Elle passa machinalement la main sur une pelisse luisante, d'une douceur soyeuse.

— Essayez-le, fit une voix.

La jeune fille se retourna et vit Beth dans l'embrasure de la porte.

— Vous allez sans doute flotter dedans, mais vous aurez une idée de l'impression qu'on a à porter une zibeline.

— Je me contenterai de mon manteau de daim, merci.

— Etes-vous contre les fourrures?

— Si je le disais, vous penseriez que c'est par envie.

Beth secoua la tête avec conviction.

— Pas venant de vous, affirma-t-elle. Appelez ça de l'intuition féminine. La même qui me dit que vous n'aimez pas Jake.

Laura évita le regard de Beth.

— Est-ce pour cette raison que vous m'avez parlé de lui?

— En partie. Beaucoup de gens ont du mal à le comprendre. Et il ne se met pas en frais pour se rendre sympathique.

— Nous sommes partis du mauvais pied, lui et moi, avoua impulsivement Laura. Enfin... De toute façon, je ne le vois que quand il a à se plaindre de quelque chose.

Elles traversèrent ensemble le hall. Robert attendait près de la porte d'entrée.

— Impossible d'amener la voiture au bas des marches, s'excusa-t-il, avec toutes ces Rolls qui barrent le chemin. Mais je suis garé un peu plus loin.

Laura tendit la main à Beth.

— N'oubliez pas de me faire signe pour votre prochaine soirée musicale.

— Ne craignez rien.

Laura descendit l'allée glissante au bras de Robert. Dans un tournant, elle faillit se faire renverser par un bolide rouge. Avec un cri d'effroi, Robert la repoussa violemment et elle s'étala par terre. La voiture s'arrêta dans un hurlement de pneus.

— Où vous croyez-vous? explosa Robert. Au rallye de Monte-Carlo?

Cinq ou six jeunes gens jaillirent de l'automobile dans une envolée de manteaux du soir. Leurs voix résonnaient dans l'air limpide.

— Vieille barbe! lui lança une voix. Tu ne sais pas que c'est Noël?

— Sans doute le dernier pour vous si vous continuez à rouler comme des fous! répliqua Robert.

Il y eut une explosion de rires goguenards et Laura,

sautant sur ses pieds, empêcha le jeune homme de se précipiter sur leurs adversaires.

— Ils sont saouls, protesta Robert. Je peux au moins en corriger deux ou trois comme ils le méritent.

— Essaie toujours! suggéra une voix.

Bien que pâteuse, cette voix n'était pas inconnue à Laura. Elle avança lentement vers son propriétaire. Ses soupçons se confirmèrent tandis qu'elle identifiait la chevelure auburn et la silhouette élancée de son frère jumeau.

— Comment oses-tu parler ainsi?

Sa voix tremblait de colère et de dégoût.

— Tu pourrais avoir la décence de t'excuser! A moins que tu te moques d'avoir failli tuer quelqu'un?

— Laura! Je ne savais pas que c'était toi!

Tim titubait devant elle.

— J'ai juste pris le virage un peu vi... vite, corrigea-t-il solennellement.

— Et un peu saoul! jeta Laura. A qui est cette voiture?

— A moi, répondit une voix féminine. C'est toujours Tim qui la conduit.

Laura se tourna vers la fille, une copie conforme d'Elaine Simpson. Peut-être moins jolie, mais aussi gâtée et insolente. Elle saisit son frère par le bras.

— Tu ferais mieux de rentrer avec moi. La voiture de Robert est garée là-bas et...

— Tu plaisantes! l'interrompit grossièrement Tim. Je ne rentre à la maison avec personne!

La fille qui se tenait à côté de lui le prit par les épaules.

— Allez, Timmy, viens! On nous attend.

— N'y va pas! éclata Laura. Rentre avec moi, Tim.

— Laisse-moi tranquille! gronda-t-il.

— Laissez-le, conseilla Robert.

Les yeux du jeune homme reflétaient la détresse de Laura.

— C'est ça! hoqueta Tim. Fais ce qu'il te dit.

Il repoussa légèrement sa sœur et partit en vacillant vers la maison.

La jeune fille fit mine de le suivre, mais Robert la retint.

— Si tu continues, il va devenir odieux.

— Il l'est déjà, répliqua-t-elle amèrement.

Et, aveuglée par les larmes, elle se laissa emmener jusqu'à la voiture.

6

Au cours des semaines suivantes, Tim évita avec diplomatie de venir à Eddlestone. Mais le père de Laura ne manifesta pas le moindre signe d'étonnement ou de souci.

Fidèle à sa promesse, Harold Simpson sonna un soir à la porte, sans même avoir pris la peine de téléphoner.

— Je savais que si je te téléphonais, tu trouverais une bonne excuse pour te débarrasser de moi, expliqua-t-il.

Il se mit à rire devant l'air décontenancé de John Winters.

— Tu as toujours été orgueilleux et têtu.

— Pas au point de mal accueillir un ami.

— Au moins, avec toi, je sais qu'il s'agit vraiment d'amitié, pas d'intérêt.

Les deux hommes se virent désormais régulièrement. Laura était contente de voir son père aller chez Harold Simpson, car cela le faisait sortir un peu de la routine qu'il vivait entre l'usine et la maison.

Elle n'eut pas de nouvelles de Beth, et finit par se demander si elle n'avait pas oublié sa promesse. Enfin, elle reçut un coup de téléphone de sa part à la cantine, en plein coup de feu.

— Désolée d'avoir tant tardé à vous appeler, s'excusa-t-elle, mais j'ai eu un travail fou à l'hôpital. La moitié des infirmières ont la grippe.

— Nous avons eu le même problème, avoua Laura.

— Alors, je serai brève. Je voulais seulement vous prévenir que nous partons en excursion samedi.

— Samedi, répéta Laura. Parfait. J'ai bien besoin de me rafraîchir les idées!

Elle notait l'heure et le lieu du rendez-vous, quand elle tressaillit à la vue de Jake Andrews. Il se tenait devant la caisse, chargé d'un plateau. Elle glissa rapidement le papier dans sa poche et lui fit son addition. Il régla sa note, puis lui dit :

— Je voudrais vous parler. Pouvez-vous déjeuner avec moi?

— Je suis débordée.

Elle fit une pause.

— Ou bien est-ce un ordre?

— Une humble requête.

Elle rougit, fit signe à l'une des filles de la remplacer et le suivit. Il s'installa à table et prit son couteau et sa fourchette.

— Pourquoi ne prenez-vous rien? Vous maigrissez.

— Elaine est encore plus mince que moi.

Laura se mordit la langue, car il sourit ouvertement.

— Ce n'est pas pareil. Les rousses doivent être rondes.

— Ce n'est pas pour parler de ma silhouette que vous vouliez me voir, je suppose.

Jake reposa sa fourchette.

— Non, nous en parlerons un autre jour. Comment vous sentez-vous à Eddlestone?

Laura ne peut dissimuler sa surprise.

— Je m'habitue. Pourquoi cette question?

— Alors, ce n'est pas cela qui tracasse votre père, murmura-t-il.

Elle réalisa soudain de quoi il s'agissait.

— Qu'est-ce qui vous fait croire qu'il se fait du souci?

— Je m'en rends compte à son comportement. Il est préoccupé par quelque chose, j'en suis sûr.

— Ma mère a été tuée au mois de février, souffla Laura. Il y pense peut-être.

Jake se frotta la figure.

— Non, jeune fille. Pas au point que son travail s'en ressente. Votre mère est morte il y a plusieurs années.

— Qu'est-ce que cela change à son chagrin, s'emporta la jeune fille. Vous ne pensez jamais à votre mère, maintenant qu'elle est morte?

Il pâlit brutalement.

— Vous savez où frapper, n'est-ce pas? Mais c'est de ma faute.

Il avait failli s'excuser, et Laura se détendit.

— Si vous voulez que je lui parle...

— Non, attendons un peu.

Elle repoussa sa chaise.

— Si vous en avez fini avec moi...

Jake haussa un sourcil, en une expression sardonique.

— Je n'ai pas encore commencé, fillette.

Laura retourna en hâte au comptoir, avec la ferme volonté de ne pas s'interroger sur le sens des paroles de Jake.

Le soir même, après dîner, elle tâcha de rendre son père plus loquace que d'habitude, mais rien ne lui permit d'en déduire que Jake avait eu raison.

Mais plus tard, alors qu'elle était en train de coudre dans un fauteuil, elle vit une ride profonde lui barrer le front, et tenta de lui soutirer les raisons de ses évidentes préoccupations.

— Les problèmes que j'ai ne te concernent pas, déclara-t-il abruptement.

— Mais tu me les as toujours confiés, protesta-t-elle. Je peux peut-être t'aider...

— Non, Laura. Tu ne peux rien y faire.

Elle savait qu'il était inutile d'insister, et se tut. Jake avait sûrement raison et elle devait découvrir pourquoi son père était soucieux; mais elle devait procéder avec subtilité, faire comme si de rien n'était.

— Tu devrais sortir davantage, dit-il soudain.

— Je pars en excursion samedi. Beth m'a invitée aujourd'hui.

— C'est une femme charmante. Dieu sait pourquoi elle ne s'est jamais mariée.

— Et si elle préférait rester célibataire?

John prit un air ironique. Laura sourit.

— Changeons de sujet avant de nous disputer... Veux-tu une autre tasse de café?

Le samedi suivant, le temps était au beau fixe, et Laura alla rejoindre Beth à l'arrêt de l'autobus, vêtue d'un pantalon et d'un chandail. Son cœur se mit à battre plus fort quand elle aperçut Jake parmi le groupe de spéléologues déjà rassemblé.

— Comme vous connaissez Jake, annonça gaiement Beth, je suggère qu'il vous serve d'instructeur.

— Je ne savais pas que vous étiez passionné de spéléologie, observa Laura.

La froideur de sa voix provenait surtout de la liberté que Beth avait prise en désignant Jake à son insu.

— Il y a des milliers de choses que vous ne savez pas sur moi, répliqua-t-il avec bonne humeur.

— Avant, Jake était de toutes les sorties, intervint Beth, mais il n'était pas venu avec nous depuis des mois.

Certaine que Jake l'avait entendue accepter de participer à l'expédition ce jour-là, Laura était aussi sûre qu'il tenait à la voir se ridiculiser dans une discipline où il devait être excellent. Cette idée la poursuivit, et à mesure qu'ils s'approchaient des landes, elle se sentait de plus en plus impatiente de lui prouver que, si elle manquait d'expérience, elle ne manquait pas de courage.

Quand ils finirent par atteindre l'entrée de la grotte,

après une longue marche sous un vent qui avait considérablement fraîchi, elle frissonnait de froid autant que d'appréhension. En attendant de descendre en rappel, elle aurait donné n'importe quoi pour être chez elle, en sécurité. Elle regarda anxieusement autour d'elle et trouva Jake à ses côtés.

— Tout ira bien, lui assura-t-il. C'est toujours une épreuve pour les nerfs la première fois.

Elle ouvrit la bouche pour protester, puis se dit qu'il était inutile de mentir.

— A vous de jouer, fillette, annonça-t-il.

Il lui tapota l'épaule.

Laura saisit l'échelle de corde qui rejoignait en serpentant le labyrinthe des galeries souterraines, et commença à descendre.

De l'entrée de la grotte, les choses semblaient faciles, mais à mesure qu'elle descendait, le conduit devenait plus étroit et, dans la lumière devenue plus rare, elle avait du mal à éviter les pierres saillantes auxquelles elle se heurta à plusieurs reprises. Elle atteignit enfin le fond de sa première marmite de géants et se détendit avec un soupir de soulagement.

Quand tout le monde fut en bas, on sortit des torches. Laura progressait lentement derrière les autres, dans un tunnel bas qui reliait la grotte principale à une multitude de grottes souterraines. Quand elle n'aperçut plus qu'à peine le bleu du ciel, elle fut prise de panique à l'idée d'être coupée du monde au-dessus d'elle, et comprit pourquoi Robert avait catégoriquement refusé de l'accompagner. Sans aucun doute, si elle n'avait pas su que Jake était juste derrière elle, elle aurait tout planté là.

— Les gens font-ils vraiment ça pour le plaisir?

Elle avait le souffle court, car ils progressaient dans un tunnel, courbés en deux.

Jake émit un rire étouffé.

— Cela dépend s'ils sont masochistes ou sadiques! Mais croyez-moi, vous êtes privilégiée. J'ai connu cet endroit à demi rempli d'eau.

A peine avait-il prononcé ces mots qu'une lumière électrique, tombant de la haute voûte, éclaira un spectacle d'une beauté saisissante.

Laura se redressa et constata qu'elle se trouvait à l'entrée d'une grotte aussi vaste qu'une cathédrale, sur laquelle débouchaient, à différents niveaux, une foule de grottes secondaires. Les stalactites et les stalagmites s'enchevêtraient en colonnes dont aucun être humain n'aurait pu concevoir le dessin. Devant la splendeur de ce travail effectué par la nature au cours de milliers d'années, Laura fut saisie d'effroi.

— On dirait un palais des mille et une nuits! s'exclama la jeune fille. Dommage qu'il faille tout gâcher avec des lampes électriques.

— Plus sûr que des torches! Mais soyez sans inquiétude. A présent, nous allons rayonner dans des galeries où nous ne pourrons compter que sur nos batteries.

Il lui sourit à belles dents.

— Pour le reste de la journée, vous êtes en mon pouvoir!

Sans relever la plaisanterie, elle descendit derrière lui dans une grotte sombre. Absorbée par l'effort, car il marchait d'un bon pas, elle perdit la notion du temps, puis, dans le labyrinthe des galeries, le sens de l'orientation. Une seule chose comptait : aller de l'avant pour découvrir ce que cachait chaque détour du chemin.

— Il est temps de faire demi-tour, déclara enfin Jake.

Se retournant pour obtempérer, Laura remarqua, au-dessus d'elle, un trou dans le rocher. Elle le fit observer à Jake qui lui proposa son dos en guise d'échelle. Elle accepta sans plus de manières. Ils rampèrent tous deux sur quelques mètres, mais, bientôt, le tunnel fut assez large pour leur permettre de se tenir debout. Ils entendaient au loin le bruit d'une cascade souterraine. Laura accéléra le pas et poussa un grognement irrité en découvrant le tunnel coupé par un bloc de pierre.

— Ça m'a tout l'air d'un cul-de-sac, décréta Jake.

— Je veux voir la cascade. Je vais tâcher de passer.

Elle se glissa entre le rocher et la paroi, et venait d'y parvenir quand elle sentit le sol bouger sous ses pas. Avec un grand cri, elle s'agrippa au rocher de toutes ses forces. Le sol continuait à se dérober.

— Accrochez-vous et ne bougez pas! hurla Jake.

Il essaya de se glisser à sa suite, mais le passage était trop étroit. Il eut beau tendre ses muscles, le rocher ne se déplaça pas d'un millimètre.

Laura avança un pied avec précaution. Le sol trembla et elle entendit des pierres tomber. Le son lui parut se prolonger interminablement.

— Je dois surplomber une autre grotte, fit-elle, haletante.

— Je sais. Restez aussi tranquille que vous le pouvez. Je vais essayer de traverser.

— Vous n'y arriverez jamais.

Il ne répondit pas. Muette de terreur, Laura ressentait à présent dans les épaules une douleur fulgurante qui menaçait d'anéantir ses facultés intellectuelles.

— Je ne peux pas tenir plus longtemps, souffla-t-elle.

— Il le faut!

Laura entendit soudain le souffle de Jake se rapprocher. Pétrifiée, elle n'osa pas tourner la tête, mais elle aperçut du coin de l'œil une épaule qui se frayait un chemin entre le rocher et la paroi. Elle avait les muscles tétanisés par l'effort qu'elle faisait pour se tenir à la force des bras et elle comprit que si Jake tardait à arriver, elle lâcherait prise. La sueur l'aveuglait et lui inondait la nuque.

— Je n'en peux plus, répéta-t-elle. Mes bras...

— Tenez bon! J'arrive.

Il n'était plus qu'à un mètre d'elle, à peine.

— Impossible de venir plus près.

Le souffle saccadé de Jake témoignait de l'effort qu'il avait produit.

— Vous allez devoir lâcher le rocher d'une main et me tendre cette main pour que je vous attrape.

— Et si vous n'y arrivez pas?

— J'y arriverai, si vous tendez bien le bras. A présent, faites ce que je vous demande.

Elle ne pouvait se résoudre à lâcher le rocher, malgré la douleur qui empirait seconde après seconde.

— Je ne peux pas, Jake... Non!

— Allez-y, espèce d'idiote! ordonna-t-il.

Galvanisée par la colère, elle retira une main du rocher et la tendit vers Jake. Cela fit céder la saillie où elle se trouvait en équilibre et elle se sentit entraînée vers le bas. Elle poussa un hurlement strident qui se transforma en cri de douleur au moment où Jake la rattrapa par le bras.

— Ne bougez pas, Laura.

Il s'exprimait d'une voix à peine audible, comme tendue à se rompre par l'effort qui martyrisait leurs muscles.

— Je ne peux pas vous soulever. Tout ce que je peux faire, c'est reculer en vous tirant. Si vous trouvez un point d'appui pour vos pieds, ce sera moins pénible pour vous comme pour moi.

— Je vais essayer, fit-elle d'une voix haletante.

Elle tâtonna prudemment d'un pied, puis de l'autre, effroyablement consciente de sa tension à lui et de sa douleur à elle. La paroi semblait lisse jusqu'au moment où son pied rencontra une aspérité qui ne s'effondra pas.

— C'est bien! l'encouragea Jake, la sentant moins pesante. Maintenant, je peux bouger un peu plus rapidement. Mais collez-vous au rocher pour ne pas vous balancer.

Par la suite, Laura ne parvint jamais à se rappeler ce qui s'était passé juste après, Mais, centimètre par centimètre, Jake l'avait hissée jusqu'à lui. Elle avait posé sur le sol ferme un pied, puis l'autre. Enfin, tremblante d'épuisement, elle était parvenue à se glisser dans l'ouverture entre le rocher et la paroi.

C'est alors seulement qu'elle vit dans quel état il était. En tentant de s'introduire le plus loin possible dans le trou du rocher, il avait arraché ses vêtements et son torse saignait abondamment aux endroits où la peau s'était éraflée contre la pierre.

— Vous êtes blessé! cria Laura.

— Rien de grave.

Il la serra soudain contre lui.

— Le... l'essentiel, dit-il d'un ton saccadé, est que vous soyez saine et sauve. Pendant un moment, j'ai cru que vous n'y arriveriez pas.

Il avait sa joue contre celle de Laura qui sentait sa peau couverte de sueur. Ensuite, il tourna son visage en un mouvement convulsif et chercha ses lèvres.

Au moment où Laura sentit les lèvres de Jake s'écraser sur les siennes, elle ressentit pour lui une immense gratitude. Sans lui, elle aurait peut-être été étendue sans vie dans les ténèbres. Elle jeta ses bras autour du cou de Jake et se blottit contre lui. Il l'enlaça plus étroitement encore et sa bouche se fit plus exigeante, forçant les lèvres de Laura. Mais les lèvres de la jeune fille s'ouvrirent docilement, impatiemment, tandis que son corps s'offrait à lui et que la gratitude se changeait en une nécessité impérieuse, plus primitive.

— Laura, gémit-il. Je vous veux... Chérie...

— Jake, chuchota-t-elle.

Emportée par l'extase, elle ne sut jamais si elle avait parlé à haute voix ou seulement en imagination, car l'écho répéta plusieurs fois le mot.

— Jake... Jake! Où êtes-vous?

La voix de Beth, déformée par la distance, les ramena à la réalité.

Jake laissa retomber ses bras et Laura chercha un appui contre le mur.

— Tout va bien, Beth, cria-t-il. Nous arrivons!

Il se pencha vers Laura qui eut du mal à déchiffrer son expression dans l'obscurité, mais en comprit le sens.

— Je me sens très bien, l'assura-t-elle.

— Bien. Inutile de parler de cet incident. Je veillerai à ce que cet endroit soit barré par une corde.

— Mais vous m'avez sauvé la vie. Sans vous...

— Il n'y a aucune raison d'en faire tout un plat. Ce genre de choses arrive souvent.

— Vous voulez dire que les gens risquent leur vie à chaque expédition? Je vous en prie, Jake, ne me racontez pas d'histoires! Vous avez été merveilleux.

— Mais je vous demande de ne parler de rien. Promis?

Elle acquiesça à contrecœur. Ils rebroussèrent chemin et il s'arrêta avant de retrouver la grotte illuminée pour essuyer le sang sur son torse et réajuster sa chemise.

Laura avait l'impression de rêver. Elle ne pouvait penser qu'à la façon dont il l'avait embrassée et à l'émoi qu'elle avait ressenti. Comment avait-elle pu être à ce point aveugle?

— Je l'aime, murmura-t-elle. Je l'aime!

Emerveillé par cette découverte, elle parcourut les derniers mètres qui les séparaient de leur point de départ. Jamais le ciel ne lui avait paru si bleu ni l'air si frais. Elle en emplit ses poumons, savourant la joie d'être en vie. Le cœur gonflé de bonheur, elle se tourna vers l'homme sans lequel elle serait peut-être morte.

Mais avant qu'ils aient pu échanger un mot, Beth vint à leur rencontre et Jake engagea la conversation avec d'autres gens. Beth suivit le regard de Laura et sourit.

— A-t-il été un bon professeur?

— Excellent, répliqua Laura.
Bien qu'à son grand étonnement, elle se soit exprimée d'un ton neutre, son visage devait être éloquent, car Beth fit un pas vers elle, lui dissimulant Jake.
— Que s'est-il passé en bas, Laura? Vous semblez brisée.
— J'ai failli... commença Laura.
Elle se rappela la promesse faite à Jake.
— J'ai trouvé ça épuisant... un peu effrayant.
— Ce sera votre dernière sortie avec nous, alors?
— Certainement pas!
Il y avait tant de passion dans sa voix que Beth se mit à rire.
— Tant mieux. Si vous venez, Jake sera certainement aussi de la partie!
— Qu'est-ce qui vous fait croire ça?
— Il adore jouer les professeurs, surtout quand les gens partagent son enthousiasme. Je suis étonnée qu'Elaine ne l'ait pas accompagné.
Beth eut un sourire épanoui, qui lui donna un charme surprenant.
— Elle ne restera pas à l'écart si elle apprend que vous êtes dans les parages. Elle...
Beth s'interrompit en entendant un bruit de moteur. Elle renifla d'un air amusé.
— Qu'est-ce que je vous disais? Voici ma nièce chérie. Je me doutais bien qu'elle ne laisserait pas Jake tout seul très longtemps.
Sans un mot, Laura regarda l'Alfa Roméo se diriger vers eux dans un rugissement de moteur.
— Jake chéri! lança Elaine. Suis-je à l'heure?
— A la seconde près.
Il alla nonchalamment vers la voiture et s'accouda à la portière. Alors seulement, il se retourna vers Laura.
— Nous allons vous déposer. Vous devez être épuisée après cette première descente.

Tremblante d'émotions mêlées, mais surtout d'humiliation, Laura secoua la tête.

— Je rentrerai avec les autres, merci. Je ne suis pas fatiguée le moins du monde.

— Je maintiens que vous devriez venir avec nous.

Piquée au vif par l'intimité de ce « nous », Laura agita la tête avec une véhémence accrue. Une étincelle de colère dans ses yeux gris, Jake adressa un bref signe de tête à Elaine et s'avança vers Laura à grandes enjambées.

— Rentrez en voiture. Vous êtes aussi pâle qu'un fantôme.

— Vous n'avez pas d'ordres à me donner!

Elle parlait à voix basse pour éviter qu'on l'entende, mais on la sentait déchaînée.

— Allez-vous-en avec votre petite amie. Vous avez largement fait votre devoir, aujourd'hui!

Conscient de la présence proche de Beth, Jake fronça les sourcils.

— Il n'était pas prévu qu'on viendrait me chercher...

— Jake! appela Elaine. Si tu ne viens pas, on sera en retard pour le film.

— Vous feriez mieux d'y aller, répéta froidement Laura.

Après une minute d'hésitation, Jake monta dans la voiture et ils s'éloignèrent. Le bruit du moteur se perdit dans le lointain.

— Que se passe-t-il? demanda Beth. Pourquoi vous disputiez-vous, Jake et vous?

— Jake voulait absolument me raccompagner en voiture, mais j'ai refusé.

— Qu'est-ce qui lui prend? Elaine est déjà suffisamment jalouse!

Pendant le reste de la journée, Laura fut partagée entre la colère qu'elle ressentait du fait du comportement de Jake, et celle qu'elle ressentait contre elle-même : elle ne lui avait même pas laissé le bénéfice du doute. Et s'il avait vraiment ignoré qu'Elaine viendrait le chercher? Et si, une fois à Eddlestone, il s'était débarrassé d'elle? Pourtant l'allusion d'Elaine à une séance de cinéma prouvait qu'il avait prévu de passer la soirée avec elle. Mais après tout, pourquoi n'aurait-il pas donné rendez-vous à Elaine? Il ne pouvait pas savoir ce qui allait se passer. La découverte de la passion qu'ils étaient capables de susciter l'un chez l'autre avait dû le surprendre autant qu'elle. Dans ce cas, il lui téléphonerait sûrement dès qu'il le pourrait.

Mais la soirée s'écoula sans qu'il l'appelât et, vers minuit, Laura alla se coucher. Elle essaya de s'endormir en se répétant qu'il viendrait la voir le lendemain matin.

La jeune fille se leva à l'aube et s'activa dans la cuisine pour s'occuper l'esprit. Mais elle ne pouvait oublier le visage de Jake avec ses yeux gris railleurs et son sourire ironique.

— Tu t'es levée tôt, remarqua son père.

Il désigna la fournée de gâteaux disposés sur la table.

— Nous attendons une visite?

— J'avais envie de faire de la pâtisserie.

Laura embrassa son père qui prit un gâteau et le croqua d'un air gourmand.

— Dommage que Jake ne puisse pas en profiter aujourd'hui. C'est délicieux.

Elle faillit lâcher la théière qu'elle était en train de remplir.

— Comment sais-tu qu'il ne peut pas en profiter?

— Parce que ce matin, il est à une réunion générale à Manchester. Il y a un gros contrat à décrocher avec le gouvernement, et Jake a une offre intéressante à proposer.

Laura reposa la théière. Ses espoirs de le voir venir ce jour-là s'envolaient.

— Qu'est-ce qui ne va pas? demanda son père. Tu as perdu ta bonne humeur!

Mais, comme la sonnerie du téléphone retentissait, Laura eut de nouveau l'air si rayonnant que son père la suivit d'un œil éberlué tandis qu'elle se précipitait en coup de vent dans le vestibule, pour décrocher le récepteur.

— Allô, Laura? fit la voix de Beth. J'appelais pour savoir si vous viendrez prendre le thé avec votre père, cet après-midi.

Laura refoula son désappointement et refusa, prétextant la fatigue. Son père irait sûrement... Quant à elle, elle n'avait pas la moindre intention de s'éloigner du téléphone.

— Si vous changez d'avis, poursuivit Beth, venez avec votre père. Elaine ne sera pas là, si c'est ce qui vous chiffonne. Elle passe la journée à Manchester.

Laura crut défaillir. Comme un automate, elle échangea encore quelques mots avec Beth, raccrocha et retourna à la cuisine. Cette information sur Elaine sonnait le glas de ses espoirs. Le baiser de Jake n'était qu'un mirage. Elle se rappela avec quel abandon elle lui avait montré ses sentiments et crut mourir de honte.

— Qu'y a-t-il, Laura? questionna son père.

Elle réalisa qu'elle se tenait comme pétrifiée près de la porte et se précipita vers le four, qu'elle ouvrit.

— C'était Beth, marmonna-t-elle. Elle nous invite pour le thé.

— Parfait. Ça te changera les idées.

— Impossible. J'ai des choses à faire à la maison.

— Ne dis pas de bêtises. Bien sûr que tu viendras.

— Non!

Son refus catégorique mit un terme à la conversation et, après un moment de silence, son père quitta la pièce. Laura soupira. Son pauvre père! Depuis qu'elle était arrivée, elle se conduisait comme une adolescente en plein âge ingrat. Il devait se faire des reproches, s'imaginer qu'elle était malheureuse à cause de leur installation à Eddlestone.

Elle cria son nom et le rattrapa dans l'escalier.

— Oui, mon petit?

— Je ne suis pas malheureuse de vivre ici, lâcha-t-elle. Je ne voudrais pas que tu le croies.

— Mais il y a quelque chose d'autre.

— Rien de grave. Une idiotie de femme. Tu sais comment sont les femmes, avec leurs humeurs!

— Oui, je le sais bien.

Il continua à gravir les marches et Laura retourna dans la cuisine. Seulement dix heures du matin! Encore cinq heures à attendre avant de pouvoir laisser libre cours à son désespoir.

Pourtant, son père parti pour l'usine, elle n'éclata pas en sanglots. Elle erra lamentablement d'une pièce à l'autre puis décida de s'installer devant la télévision, qu'elle regarda sans la voir.

Elle éprouva du soulagement lorsque son père l'appela pour la prévenir qu'il était retenu pour dîner. A présent, certaine de disposer de sa solitude, elle revint au salon. Elle tremblait encore de tout son corps de l'espoir qu'avait fait naître la sonnerie du téléphone. Comment avait-elle pu s'imaginer que c'était Jake! Le départ d'Elaine pour Manchester mis à part, elle aurait dû comprendre que Jake ne l'avait embrassée que sous l'empire d'une passion passagère, provoquée sans doute par le soulagement de la voir encore en vie.

Laura se prit la tête entre les mains. Peut-être, après tout, se réveillerait-elle le lendemain insouciante de ses faits et gestes.

Mais elle savait bien qu'il n'en serait rien. L'amour l'avait frappée et n'était pas près de s'effacer. Plus tôt elle se remettrait à détester Jake, plus vite elle retrouverait la paix de l'âme.

7

Le lundi matin, Laura eut toutes les peines du monde à se mettre en route pour l'usine. A l'heure du déjeuner, elle eut envie de prendre ses jambes à son cou, mais elle savait pertinemment qu'elle ne ferait que reculer pour mieux sauter.

Aussi, quand Jake se présenta devant elle, son plateau à la main, elle l'accueillit avec un sourire froid.

— Comment vous sentez-vous, aujourd'hui? s'enquit-il. Pas trop éprouvée par l'expédition de l'autre jour?

— Absolument pas, déclara-t-elle.

— Tant mieux. Indépendamment du fait que vous ayez failli vous rompre le cou, c'était une des meilleures journées que j'aie passée depuis longtemps.

Il se pencha vers Laura.

— Venez prendre une tasse de café avec moi.

— Je n'ai pas le temps. Mais je voulais vous remercier de m'avoir sauvé la vie.

— Vous l'avez déjà fait, et d'une façon que je ne suis pas près d'oublier.

Elle blêmit sous le sarcasme.

— Je crois... je crois que nous devons oublier ce qui s'est passé dans la grotte.

Il se rapprocha encore et sembla encore plus imposant.

— Vous n'êtes pas fâchée que je vous ai embrassée, si?

— Un baiser ne porte pas à conséquence, de nos jours.

Elle mit dans cette phrase une ironie provocante.

— Je n'avais pas cette impression, en ce qui vous concerne, du moins.

— Ne soyez pas naïf, Jake. Ma réaction ne voulait rien dire.

— Vraiment? se moqua-t-il. Alors je saurai où aller quand je serai en mal d'amour!

— Vous n'avez que l'embarras du choix! Alors laissez-moi tranquille.

Il hocha la tête et s'en alla. Dès qu'elle le put, Laura retourna dans son bureau, mais sa rencontre avec Jake l'avait secouée et elle attendit impatiemment que cinq heures sonnent pour rentrer chez elle. Au moment où elle sortait, elle se heurta à Robert.

— Je te cherchais! J'ai des billets pour la première d'une pièce, demain, à Manchester. Je voudrais t'emmener.

Du coin de l'œil, elle aperçut une paire de larges épaules sortir d'un bureau. Certaine qu'il s'agissait de Jake, elle se mit à parler d'une voix forte.

— Quelle bonne idée, Robert! Tu es vraiment le seul homme civilisé de la région!

Robert semblait aux anges, et Laura surmonta son envie de revenir sur son accord quand ils furent dehors.

Au cours des semaines suivantes, Laura vit Robert presque chaque soir. Lorsqu'elle réalisa que tout le monde la voyait bientôt mariée, elle espaça ses relations avec le jeune homme et passa davantage de temps avec Beth. Cette amitié de raison se mua bientôt en réelle affection pour cette femme mûre, beaucoup plus désintéressée que Robert. Seules les allusions à Elaine la mettaient mal à l'aise, mais elles étaient rares, Beth ayant parfaitement senti l'antipathie de Laura pour sa nièce.

— Où en est votre club de musique?

Elle posa la question à Beth un soir qu'elles revenaient du cinéma.

— Nous nous réunissons dimanche. J'allais t'en parler.

— Tim sera sans doute là. Et il préfère la musique pop.

— Si tu peux, viens après son départ. On ne se sépare généralement pas avant minuit.

Mais, comme d'habitude, Tim ne resta pas longtemps. Il était à peine cinq heures quand il enfourcha sa moto.

— Il aura bientôt épuisé toutes les bonnes excuses pour nous quitter si tôt, observa acidement leur père.

— Il faut le comprendre, plaida Laura. Nous ne sommes pas très distrayants pour un garçon de vingt-trois ans.

— C'est possible, soupira-t-il. Et toi, qu'est-ce que tu vas faire, à présent?

La jeune fille eut une hésitation.

— Beth organise une soirée musicale, mais... je suis un peu fatiguée, et je n'irai pas.

— Dommage. Elle m'a prié de t'accompagner.

— Toi? Quelle chance! Je m'habille et on y va.

Son père fit entendre un petit rire.

— Tu viens de dire le contraire! Décidément, je ne comprendrai jamais rien aux femmes.

— Ça, c'est une preuve de lucidité! J'espère que j'en ai hérité.

— Oh oui! l'assura-t-il. Bien trop à mon avis. Je préférerais que tu sois plus romantique.

— A propos des hommes, veux-tu dire?

Il hocha la tête.

— Il serait temps que tu t'occupes d'un autre homme que moi.

— Je n'ai pas envie de servir à tenir la maison et à réchauffer le lit!

— Ce n'est pas ce que les hommes demandent. Pas plus qu'ils ne veulent seulement apporter la sécurité. La plupart des gens se marient pour une raison plus simple.

— Par exemple?

— L'amour, qui peut avoir des sens différents selon l'âge et le caractère : passion, tendresse, certitude que tu es suffisamment proche d'un être pour ne jamais te sentir seul.

Sa voix se brisa et il se mit à bourrer consciencieusement sa pipe, en évitant le regard de sa fille. Laura comprit que le temps avait passé depuis la mort de sa mère, et que son père avait à nouveau besoin de ce qu'il venait d'évoquer avec tant d'ardeur. La tendresse, les plaisirs partagés avec un être aimé. L'époque où son travail remplissait sa vie était révolue. Il avait besoin d'autre chose.

— Mets ton complet bleu marine, lui conseilla-t-elle. Il te donne l'air distingué.

— Un pantalon et un chandail suffiront, répliqua-t-il. Je n'ai personne à séduire!

Un peu plus tard, Laura et son père se retrouvaient en train d'écouter la Symphonie Pastorale de Beethoven, dans le salon de Beth. La beauté de la musique apporta à la jeune fille une paix qu'elle n'avait pas connue depuis longtemps.

Lorsque le dernier mouvement toucha à sa fin, elle se glissa sans bruit dans la pièce voisine pour préparer du thé. Le plateau était déjà prêt et Laura n'eut qu'à poser la bouilloire sur le feu.

— Besoin d'un coup de main? s'enquit une voix bourrue.

Elle se retourna pour trouver Jake dans l'embrasure de la porte. Elle cacha derrière son dos ses mains tremblantes et le considéra avec un parfait sang-froid.

— Non merci... Je ne savais pas que vous assistiez à ces réunions.

— La musique est une passion chez moi. Je ne suis pas venu parce que je savais que vous seriez là. Mais Elaine est à Londres pour deux jours, et je n'avais rien à faire. Maintenant, si je vous ennuie, je m'en vais.

— Pourquoi cela devrait-il m'ennuyer?

— Parce que vous me supportez déjà toute la semaine.

— Vous me supportez aussi, lui rappela-t-elle.

— Oui, mais je ne suis pas comme vous. D'ailleurs, vous n'êtes pas déplaisante à regarder.

— Vraiment? Je croyais me souvenir que je vous laissais froid!

Elle se dirigeait vers la porte quand il la saisit par le bras et la força à se tourner vers lui. Avant qu'elle ait pu faire un geste, il l'avait plaquée contre le mur, s'appuyant contre elle de tout son poids. Elle se débattit pour le repousser mais se rendit compte qu'il était trop fort et préféra attendre passivement le moment où il relâcherait son étreinte. Mais il semblait lire dans ses pensées.

— Vous ne m'échapperez pas si facilement, siffla-t-il. J'en ai assez de vos grands airs.

Il lui saisit le menton, l'empêchant de tourner la tête. Il était si proche qu'elle se voyait reflétée par ses yeux, puis l'image se brouilla et il posa les lèvres sur les siennes, avec une surprenante douceur. Son souffle était plus léger qu'une aile de papillon et Laura sentit une chaleur inconnue l'envahir tout entière. Elle avait les jambes en coton, et si elle n'avait pas été soutenue par le mur, elle se serait affaissée sur le sol. Le baiser de Jake se faisait plus exigeant. Laura brûlait à présent d'un désir qu'elle ne pouvait plus nier. En dépit de tout le mépris qu'elle lui portait, elle fut submergée par une passion animale et ses lèvres s'ouvrirent d'elles-mêmes sous celles de Jake.

Il s'écarta lentement et Laura vit le triomphe peint sur son visage. Avec quelque chose qui ressemblait à du désespoir, elle prit le parti d'un sarcasme cuisant.

— Si embrasser était un sport olympique, fit-elle d'une voix affectée, je vous donnerais la médaille d'or. Et vous savez aussi être tendre. Vous devez être un amant presque civilisé.

Il accusa rudement le coup et, de très pâle, devint cramoisi.

— Ne croyez pas ça, Laura. Quand je m'emporte, je peux être très brutal.

Il fit un pas vers elle avec une douceur menaçante.

— Ne me touchez pas, lança-t-elle. Au fond, vous me dégoûtez!

Le souffle de Jake se précipita et il recula.

— Vous avez dû être scorpion dans une vie antérieure. Mais n'ayez crainte. Désormais, je ne vous toucherai plus, même avec des pincettes!

Sur ces mots, il tourna les talons et sortit, frôlant Beth sans même la remarquer.

— Vous vous êtes encore battus? plaisanta Beth.

Devant l'expression de Laura, elle reprit son sérieux.

— Qu'est-ce qui ne va pas, entre vous deux?

— Rien, sauf que Jake s'imagine que toutes les femmes courent après lui, ce qui n'est pas mon cas. Il n'a pas apprécié que je le lui dise.

— Mais Eliane appréciera. Elle te considère comme une rivale.

Laura reposa brusquement la bouilloire.

— C'est stupide! Je hais Jake Andrews!

Beth ouvrit de grands yeux.

— Pourtant, toutes les filles sont folles de lui.

Laura s'affaira de nouveau autour du plateau à thé.

— A quoi bon cette discussion? Après tout, il a d'autres chats à fouetter!

Beth disposa les assiettes de sandwiches sur la table roulante.

— Je n'en suis pas si sûre. Je ne suis pas encore convaincue qu'il veuille d'Elaine. Son comportement avec elle ne veut rien dire de plus que le tien avec Robert!

Laura se mordit les lèvres.

— Je continue à croire qu'il épousera ta nièce. Grâce à son beau-père, il pourra satisfaire toutes ses ambitions.

— Tu le connais bien mal. Il est du genre à aimer la difficulté. Il ne quittera pas Grantley.

— Alors pourquoi s'intéresse-t-il tant à elle?

Beth poussa un soupir.

— Tu as encore beaucoup à apprendre sur la nature humaine. Tu sais d'où sort Jake. Ne crois-tu pas flatteur pour lui que le meilleur parti de la ville se soit jeté à sa tête? Avoue qu'Elaine est plutôt charmante!

Laura ne demandait qu'à croire Beth, mais elle avait encore des doutes. Et en fait, ces doutes concernaient les sentiments qu'il lui portait. Là était la clé du problème. Elle ne lui pardonnait pas de n'utiliser avec elle que des termes de désir au lieu de mots d'amour.

Mais qu'avait-elle fait pour susciter cet amour? Après leur baiser dans la grotte, elle avait cru que le coup de foudre était réciproque. Et elle avait été profondément blessée par son départ avec Elaine, tout en sachant parfaitement qu'il n'avait pas le choix. En revanche, elle ne voyait pas pourquoi il ne lui avait pas téléphoné le lendemain. C'était cette déception qui était la cause du comportement qu'elle avait eu par la suite à son égard.

Laura songea aux doutes de Beth concernant l'amour de Jake pour sa nièce. Elaine l'avait peut-être suivi à Manchester de son propre chef. C'était bien dans son caractère. Dans ce cas, il ne pouvait guère s'expliquer avec Laura avant le lundi suivant, à la cantine.

Tout en préparant une autre théière, la jeune fille se rappela le ton amical, presque timide, de Jake ce jour-là et son attitude à elle, injustement hostile. Elle aida Beth à servir le thé comme dans un rêve. Elle brûlait d'envie d'aller vers Jake et de lui dire à quel point elle regrettait d'avoir été blessante. Mais elle n'en aurait pas l'occasion ce soir-là et elle glissa à l'oreille de son père qu'elle rentrait à la maison.

— Je vais rentrer avec toi, suggéra-t-il.

— Ce n'est pas la peine. La promenade me fera du bien.

Il céda avec une surprenante docilité.

Laura se retrouva dehors. L'air était d'une fraîcheur vivifiante et elle n'avait pas la moindre envie de se retrouver dans une maison vide. Aussi se dirigea-t-elle d'un bon pas vers le centre de la ville. Dans les rues désertes, sous le clair de lune, les arbres dénudés se tordaient en formes fantastiques.

Elle marcha près de deux heures et minuit avait sonné depuis longtemps quand elle rentra chez elle, le corps reclu de fatigue, mais l'esprit étrangement apaisé. Le lendemain, elle avouerait à Jake les sentiments contradictoires qu'il avait suscités en elle, faisant fi de son amour-propre. Si Beth avait raison, si Elaine ne représentait rien pour lui, il n'avait pas de raison de nier qu'il avait été sincère lors de l'intermède passionné de la grotte. Et si ce n'était pas le cas... Elle préféra ne pas envisager ce risque.

Le lendemain, le soleil était aussi éclatant que l'optimisme de Laura qui, sur le chemin de l'usine en compagnie de son père, contenait difficilement son impatience à rencontrer Jake.

Son vœu fut exaucé plus tôt qu'elle ne s'y attendait.

Dès son arrivée, son assistante l'informa que Jake avait demandé à la voir immédiatement.

— Peut-être veut-il lui aussi mettre les choses au point, se dit-elle.

Mais à son accueil, elle déchanta aussitôt. De toute évidence, ils n'allaient pas parler d'amour.

— Venez ici, lança-t-il d'une voix rude.

Il lui désigna la serrure brisée du tiroir de son bureau.

— J'espère que vous avez trouvé ce que vous cherchiez, au moins.

Laura ouvrit de grands yeux.

— Ne faites pas l'innocente! La nuit dernière, vous avez fracturé mon bureau pour voler des plans.

— J'ai... Vous m'accusez d'avoir volé quelque chose?

— Allons, avouez! Vous savez bien que j'ai raison!

Il était manifestement sérieux et l'ahurissement de Laura fit place à de l'incrédulité.

— Avez-vous imaginé cela à cause d'hier soir?

Le visage de Jake parla pour lui. Quoi qui ait pu lui dicter cette accusation démentielle, cela n'avait rien à voir avec leur rencontre chez Beth.

— Croyez-vous que je sois heureux d'apprendre que vous êtes une voleuse? interrogea-t-il calmement. Ne savez-vous pas que c'est la dernière chose au monde que j'avais envie de croire?

— Alors, n'y croyez pas!

Il se laissa tomber dans son fauteuil.

— Ce n'est pas si simple. Le gardien vous a vue.

La voix de Jake était aussi amère que les plis qui s'étaient creusés autour de sa bouche.

— Il arrivait quand vous êtes sortie de mon bureau. Il vous a appelée, et vous vous êtes retournée. C'est là qu'il vous a reconnue.

— Il ment! Je ne suis pas venue à l'usine!

— C'est votre parole contre la sienne, poursuivit

Jake. Il a dit mot pour mot : « aucune autre jeune fille de l'usine n'a de pareils cheveux roux »!

Laura s'effondra sur un siège. Comment le gardien avait-il pu la voir alors qu'elle était à des kilomètres de là? A moins que quelqu'un ne l'ait payé pour mentir. Quelqu'un qui lui voulait du mal. Quelqu'un comme Elaine.

— Il m'a même décrit vos vêtements, reprit Jake. Un pantalon sombre et un anorak vert bouteille. Vous en avez un, n'est-ce pas?

— Vous le savez parfaitement. Je le portais quand je suis descendue dans la grotte.

Elle se rendit compte qu'elle tremblait. La scène tournait au cauchemar. Mais elle ne devait pas s'affoler si elle voulait percer ce mystère.

— Ou le gardien s'est trompé, ou il ment.

Jake releva la tête et la regarda dans les yeux.

— Vous êtes partie tôt de chez Beth, hier soir, et votre père est resté.

Laura faillit lui expliquer pourquoi elle voulait rentrer seule. Mais, bien qu'elle n'ait rien à se reprocher, Jake s'imaginerait qu'elle cherchait à noyer le poisson.

— J'avais mal à la tête, raconta-t-elle. J'ai pensé qu'un peu d'air frais me ferait du bien et j'ai fait une promenade.

— Avez-vous rencontré quelqu'un?

La colère reprit Laura.

— Personne ne peut me servir d'alibi, si c'est ce que vous voulez dire. D'ailleurs, je n'ai pas besoin d'alibi pour un crime que je n'ai pas commis! Et quels plans suis-je censée avoir volé?

— Vous le savez très bien, dit-il d'un air las.

— Je vous répète que je ne me suis pas approchée de l'usine la nuit dernière, cria-t-elle.

— Votre père sait sans doute à quelle heure vous êtes rentrée?

— Non, il était déjà couché.

— Vous avez fait une sacrée promenade, alors!

Elle fut de nouveau à deux doigts de lui dire la vérité, mais y renonça.

— J'étais préoccupée. Je n'ai pas vu le temps passer.

— Vous cherchiez à vous venger de moi, parce que je vous avais embrassée? demanda-t-il. Vous vous y êtes bien prise. Si vous aviez eu plus de chancc, vous auriez pu...

Sa voix se brisa et il secoua la tête.

Laura se demanda si l'insomnie ne lui avait pas donné des hallucinations. Mais elle eut beau s'efforcer au calme, elle dut admettre qu'elle ne rêvait pas. Jake était on ne peut plus réel avec le regard dur qu'il posait sur elle.

— Si vous me disiez ce que je suis supposée avoir pris, et pourquoi c'était important...

— Ce n'était pas important, coupa-t-il. Vous avez cru voler les plans de la nouvelle machine, mais c'étaient ceux de l'ancien modèle. Les autres sont en sécurité, à un endroit où personne ne peut les trouver.

Les pièces du puzzle commençaient à s'assembler, composant un vilain tableau.

— Vous croyez que j'ai volé les plans pour les vendre?

— Oui. A moins que vous ayez seulement voulu me faire du mal, articula-t-il péniblement.

— Vous faire du mal?

— Si les plans avaient été pris quand ils étaient sous ma responsabilité, je n'aurais jamais accédé à la direction générale. En tout cas, si vous aviez l'intention de vendre ceux que vous avez volés à un concurrent, il ne vous reste plus qu'à les jeter au feu!

— Merci du conseil!

— C'est tout ce que vous trouvez à dire?

— Que voulez-vous? Une confession? Je ne cherche pas d'échappatoire. Pensez ce que vous voulez.

Elle se dirigea vers la porte.

— Si vous faites appel à la police, je suis dans mon bureau, à votre disposition.

— Je n'appellerai pas la police. Je veux épargner votre père, répliqua-t-il durement. Il faut qu'il ignore les vraies raisons de votre départ.

L'allusion à son père fit réaliser à Laura toute l'horreur de la situation où elle se trouvait.

— Qu'est-ce que vous allez lui raconter? s'inquiéta-t-elle.

— Je vais y réfléchir. Mais il vaut mieux que nous lui donnions la même version des faits.

— Dites-lui que je ne vous supportais plus. Il vous croira volontiers.

— Je n'aurais jamais pensé que les choses tourneraient ainsi. J'en suis désolé.

— Et moi, donc!

Elle se rappela qu'elle était entrée dans cette pièce pleine d'espoirs et l'amertume perçait dans sa voix. Elle eut peur de s'effondrer devant Jake et ouvrit violemment la porte.

— Laura?

— Oui? fit-elle sans se retourner.

— Vous n'avez rien à ajouter?

— Non. Excepté que vous regretterez avant moi cette journée.

— Je la regrette déjà, affirma-t-il.

Laura ne s'attendait pas à cela. Elle se retourna et vit son regard de dégoût.

— Jake, je...

— Ça suffit, Laura, trancha-t-il. Sortez, vous me rendez malade.

Elle sortit sans un mot, laissant derrière elle le rêve brisé d'une vie de bonheur avec l'homme qu'elle aimait.

8

Laura rentra chez elle tôt dans l'après-midi. La maison lui paraissait plus hostile que jamais et elle se mit à errer d'une pièce à l'autre. L'accusation de Jake résonnait à ses oreilles comme le battement de son cœur : voleuse! voleuse!

Malgré tous leurs affrontements passés, elle trouvait incroyable qu'il l'ait estimée capable d'une telle action. Mais elle n'avait aucun moyen de lui prouver sa bonne foi.

— Le gardien n'a pas pu me voir, dit-elle à haute voix. Il a rêvé ou il ment.

En fait, Jake ne l'avait cru que parce qu'il s'agissait d'elle. Il pensait sincèrement Laura capable de tout pour lui nuire. Le fil de ses réflexions fut coupé par l'arrivée de son père, dont les premières paroles ne firent rien pour la réconforter.

— Ainsi, ton antipathie pour Jake t'a conduite à quitter un poste intéressant!

Elle s'efforça de répondre le plus froidement possible.

— Je ne supportais plus qu'il me tyrannise.

— Tu n'as pas hésité à le laisser le bec dans l'eau.

Laura réagit violemment à ce reproche.

— Non, c'est lui qui m'a demandé de partir.

— Pourquoi?

La jeune fille avait les lèvres sèches. Elle ne savait pas quelle version Jake avait donné de leur prétendue querelle. Mais son père poursuivit :

— Jake m'a expliqué que vous n'aviez pas la même conception des choses. Mais je ne pensais pas que vous en arriveriez là. Tout s'arrangera peut-être quand vous aurez repris votre sang-froid, tous les deux.

— Non, je ne retournerai jamais à l'usine.

Il lui posa la main sur l'épaule.

— Alors, ce n'était pas seulement une question de travail. Tu ne veux pas me dire de quoi il s'agit?

Laura baissa la tête, mais son père avait déjà vu les larmes briller dans ses yeux.

— Je m'en doutais. Il ne t'est pas indifférent. Dans ce cas, tu as bien fait de partir.

Secrètement soulagée de cette conclusion, Laura partit vers la cuisine.

— Veux-tu que nous dînions dehors? suggéra son père.

— Merci, papa. C'est gentil de le proposer, mais je préfère rester ici.

Pendant le dîner, elle s'arrangea pour que son père parle de son travail. Mais elle ne réalisa l'horreur du forfait dont on l'accusait qu'au moment du café.

— La machine sur laquelle nous travaillons en ce moment, expliquait John Winters, fera tomber tous les autres modèles en désuétude, d'ici quelques années.

— Ce n'est pas un nouveau moteur de voiture électrique?

— C'est beaucoup plus révolutionnaire que ça.

Il savoura son triomphe en silence un instant.

— Désormais, l'idée d'un moteur à propulsion nucléaire n'appartient plus au domaine de la science-fiction. Grâce à cette invention, ce pays va bientôt connaître un renom mondial.

Laura se demanda avec colère comment Jake avait pu

la croire capable de dérober un projet d'une telle importance pour son pays. Mais le gardien avait été catégorique. Après tout, aurait-elle réagi autrement à la place de Jake?

Elle comprit alors que la jalousie l'avait aveuglée. Si seulement Jake s'était aussi trompé sur son compte pour la même raison! Pourtant, son intelligence devait le dissuader de voir en elle une voleuse. Quand il aurait repris ses esprits, il l'appellerait sûrement pour lui présenter des excuses.

Certaine d'avoir sous peu des nouvelles de Jake, Laura ne bougea pas de chez elle le lendemain. Mais la soirée s'écoula, puis la semaine entière, sans le moindre signe de lui. Comme il allait regretter ce temps perdu!

Beth croyait elle aussi que Laura avait quitté Grantley à cause de ses sentiments pour Jake, et mit quinze jours à se décider à aborder le sujet. Un soir qu'elles rentraient de promenade, Beth lança :

— Tu ne vas quand même pas te morfondre à cause de lui jusqu'à la fin de tes jours!

— D'où papa et toi avez-vous tiré que je suis amoureuse de lui? protesta-t-elle.

Beth laissa tomber son manteau sur une chaise.

— Ce n'est ni pour ton travail ni pour Robert que tu te languis. Il ne reste donc que Jake, exact?

En Laura, l'orgueil et l'honnêteté s'affrontaient. L'honnêteté fut la plus forte.

— Oui, mais je n'ai pas envie d'en parler. Veux-tu une tasse de thé?

— Tu préfères changer de sujet? Je me le tiens pour dit. Mais je voudrais quand même te donner un conseil : si tu aimes Jake, n'hésite pas, par orgueil, à faire le premier pas... Il voit beaucoup Elaine en ce moment.

— C'est sans doute elle qu'il aime. Maintenant, va rejoindre papa. J'apporte le thé.

Pendant qu'elle dressait la table roulante, Laura se

souvint de cette soirée chez Beth où Jake l'avait embrassée avec tant de tendresse et de passion. Pour les hommes, il était facile de se consoler dans les bras d'une autre femme. Pour elle, cela prendrait plus de temps. La seule évocation de Jake la plongeait dans une panique maladive.

Mais bien entendu, il arriva ce qui était inévitable dans une petite ville comme Eddlestone. Une semaine plus tard, elle trébucha dans le foyer du cinéma. Un homme la rattrapa, elle leva la tête pour le remercier mais fut frappée de mutisme : c'était Jake. Il semblait amaigri, avec des cernes sombres sous les yeux et des rides plus marquées au coin de la bouche. Laura le salua machinalement et voulut poursuivre son chemin, mais il lui barra la route.

— Bonjour Laura. Vous n'avez pas retrouvé de travail?

— Les places sont chères à Eddlestone.

Elle le vit hésiter et s'attendit à une remarque acerbe. Mais il eut une réaction étonnante.

— Si vous avez besoin de références, je serai heureux de vous en fournir.

— Que direz-vous? Que Mlle Winters est consciencieuse, mais qu'on ne peut pas lui faire confiance?

Jake se mordit les lèvres.

— Je finirais presque par croire à votre innocence! Allons, soyez honnête. Racontez-moi pourquoi vous avez fait ça. Je tâcherai de comprendre.

— Je n'ai rien fait! Je vous ai dit la vérité. Le gardien n'a pas pu me voir : je n'y étais pas!

Avant que Jake ait eu le temps de répliquer, Elaine pénétra dans le foyer, sa chevelure blonde retombant en cascade sur le col de son manteau de vison.

— Excuse mon retard, chéri, mais papa m'a déposée et il a roulé comme une tortue.

Devant ce personnage sophistiqué jusqu'au bout des

ongles, Laura prit douloureusement conscience de son vieux manteau en poil de chameau. Depuis qu'elle était sans travail, elle ne dépensait plus un sou pour sa garde-robe et refusait d'accepter de l'argent de son père. Elle tenta de s'esquiver, mais Elaine n'allait pas laisser échapper une si belle occasion de marquer des points.

— Vous êtes seule? Ne me dites pas que vous vous êtes disputée avec Robert. Toute la ville attend avec impatience que vous annonciez vos fiançailles!

Laura bafouilla quelques mots en retour et se précipita dehors. En rentrant chez elle, elle se sentit un peu réconfortée de voir qu'Elaine n'était manifestement toujours pas absolument sûre des sentiments de Jake.

Pendant le dîner, son père ne fit aucun commentaire sur son air épuisé. Mais dès qu'ils eurent achevé le repas, il alla téléphoner et revint la mine épanouie.

— Cours mettre ta plus jolie robe, Laura. Je t'emmène au Marsdale Club. Il y a un bon spectacle, ce mois-ci. Un chanteur américain.

— Mais il est tard. Et puis tu détestes les variétés.

— Pas le moins du monde! Va vite te changer. Si nous continuons comme ça, nous allons nous encroûter.

Laura obéit sans enthousiasme. Quand elle redescendit, son père lui jeta un regard appréciateur.

— Tu es ravissante. Mais tu devrais mettre la broche de saphir que ta mère t'a donnée. Elle ferait beaucoup d'effet sur ton col.

Avec un sourire, elle remonta l'escalier pour aller chercher la broche. Mais elle eut beau retourner boîtes, tiroirs et sacs à main, elle ne trouva pas le bijou. Elle essaya de se rappeler quand elle l'avait porté pour la dernière fois, mais n'y parvint pas. A force de se torturer l'esprit, elle finit par se souvenir qu'elle avait voulu mettre la broche un jour qu'elle donnait un pot d'adieu pour un employé de Grantley. Le fermoir s'était ouvert, et, pour ne pas perdre le bijou, elle l'avait rangé dans un tiroir de son bureau. Elle courut au rez-de-chaussée.

— Je ne peux pas mettre la broche ce soir, papa, je l'ai laissée au bureau, et, j'étais dans un tel état le jour de mon départ que j'ai oublié de vider mon tiroir.

— Bon. Dans ce cas, le mieux est de passer au bureau.

— A cette heure-ci?

— Je suppose que tu ne tiens pas à y aller pendant la journée, n'est-ce pas?

Elle en convint et ils partirent. Ils pénétrèrent dans l'usine grâce au passe de son père, qui gara la voiture à l'écart de l'entrée principale. Laura entra seule dans l'immeuble et s'arrêta devant la porte de ce qui avait été son bureau, saisie d'une étrange appréhension. Elle se traita d'idiote, et entra. Quand elle ouvrit le tiroir du bureau, elle sentit le contact du métal et, avec un soupir de soulagement, elle s'empara du bijou d'or et de saphir, puis ressortit très vite.

Décidée à quitter cet endroit le plus vite possible, elle courait dans le couloir, quand elle se sentit agrippée à l'épaule par une poigne de fer.

— Je vous tiens! lança une voix excitée.

Paralysée de terreur, elle reconnut le visage rougeaud du gardien.

— Laissez-moi partir, je vous en prie, intima-t-elle froidement. Je suis seulement venue récupérer un objet que j'avais oublié en partant.

— Ah oui? J'étais sûr que vous reviendriez!

— Vous dites n'importe quoi. Lâchez-moi!

Laura essaya d'échapper au gardien, mais il la tenait fermement.

— Laura, que se passe-t-il?

Par-dessus l'épaule de l'homme, elle vit arriver son père. Avant qu'elle ait pu placer un mot, le gardien répondit à sa place :

— Désolé, monsieur Winters, mais je ne laisserai pas votre fille s'en aller avant d'en avoir parlé au patron.

— Qu'est-ce que M. Andrews vient faire là-dedans? Laura est juste venue chercher une broche.

— Vous feriez mieux d'interroger la demoiselle!

John Winters se tourna vers Laura, qui comprit qu'elle avait intérêt à s'expliquer avant que le gardien ne le fasse pour elle, en Dieu sait quels termes. En fin de compte, les mots importaient peu : un voleur est un voleur.

— Le bureau de Jake a été fracturé récemment et on lui a volé des plans. Il... Il a cru que je les avais pris.

— Toi! s'écria son père d'un air incrédule. C'est une plaisanterie!

— Pas du tout, fit le gardien. Elle portait un blouson vert quand je l'ai vue, comme j'ai dit à M. Andrews. D'ailleurs je reconnaîtrais ses cheveux roux n'importe où.

— Retourne à la voiture, Laura, demanda John Winters.

Il se tourna vers le gardien.

— Je réglerai cette histoire demain matin avec M. Andrews, déclara-t-il calmement.

Laura et son père rentrèrent chez eux. Elle s'attendait à une explication orageuse, mais il ne pipa mot jusqu'au moment où ils eurent accroché leurs manteaux côte à côte, proche l'un de l'autre comme eux-mêmes ne le seraient sans doute jamais plus, pensa Laura.

— Entre au salon, j'ai à te parler, dit John Winters.

Laura s'assit et alluma le radiateur électrique avec l'impression horrible qu'elle était aussi glacée qu'un cadavre.

— Je suppose que c'est à cause de cette histoire que tu as quitté Grantley, en réalité? Mais pourquoi ne m'as-tu rien dit?

Il parlait d'une voix si douce qu'elle se sentit renaître. Son père s'en aperçut et lui sourit.

— Comme si je ne connaissais pas ma fille! poursuivit-il. Tu risques autant de voler quoi que ce soit qu'une poule d'avoir des dents! Tu aurais dû te confier à moi.

— J'avais peur. Le gardien... Il affirme m'avoir vue.

— Raconte-moi en détail tout ce qui s'est passé la nuit où tu es censée avoir visité le bureau de Jake.

La jeune fille fit un récit succinct, consciente de la fragilité de ses propos. Elle conclut en parlant de la promenade qu'elle avait faite, sans rencontrer personne et sans voir le temps passer tant elle pensait à Jake.

— Et il ne te croit pas?

Laura poussa un soupir.

— Je n'allais quand même pas lui raconter ça!

— Tu préférais qu'il te prenne pour une voleuse?

— Tout parlait contre moi, admit-elle. Et il ne s'est pas fait prier pour accepter cette version des choses.

— Parce que tu n'aurais pas eu la même réaction?

— Bien sûr que non, protesta-t-elle. Quand on aime quelqu'un, on lui fait confiance!

— Il arrive que l'amour rende encore plus méfiant.

Il se pencha vers Laura.

— Un blouson vert et des boucles rousses, ça ne te dit rien?

La jeune fille ouvrit des yeux effarés. Son père la prit par la main et l'amena devant un miroir.

— Tu es très jolie avec tes cheveux courts. Et puis... tu es encore plus le portrait de Tim, surtout de dos!

Laura respira avec difficulté.

— Non, tu ne veux pas... Non, pas Tim!

— Alors, qui d'autre? Te rappelles-tu que Beth l'a taquiné à propos de ses cheveux trop longs?

Elle acquiesça sans un mot. C'était une abominable solution, mais c'était la plus probable.

— Je n'arrive pas à y croire, murmura-t-elle.

— Ce ne serait pas la première fois.

Devant l'air ahuri de sa fille, il précisa :

— C'est pour cette raison qu'il a quitté Grantley. J'ai pu obtenir de la direction qu'il n'y ait pas de poursuites. J'aurais peut-être dû le laisser se débrouiller seul. Mais c'est mon fils...

— Tim n'a pas de blouson vert, interrompit Laura.

— Il en a un noir et sous les néons, on peut confondre les couleurs. Je vais téléphoner à Jake et lui raconter.

Laura courut vers son père.

— Non, il le ferait jeter en prison!

— De toute façon, c'est là qu'il finira tôt ou tard, si on ne lui fait pas peur. Cette fois-ci, il a volé les mauvais plans, mais la prochaine fois, il risque d'avoir plus de chance. Il faut l'arrêter pendant qu'il en est encore temps.

Laura prit la main de son père d'un air contrit.

— J'aurais fait n'importe quoi pour t'épargner cela.

— Y compris laisser Jake te croire coupable?

— Je me moque de ce qu'il pense, affirma-t-elle. S'il avait confiance en moi...

— Nous n'allons pas recommencer cette discussion. En tout cas, je ne veux pas que tu te gâches la vie pour ton frère. Il faut que Jake connaisse la vérité.

— Parle d'abord à Tim, plaida-t-elle.

— Qu'est-ce que cela apportera?

Laura ne répondit pas et appela son frère. Il répondit aussitôt. A son impatience, Laura devina qu'il attendait un autre coup de téléphone.

— Laura, fit-il d'une voix terne. Comment ça va?

Elle serrait le récepteur d'une main moite.

— Nous... enfin, papa veut te voir. C'est important.

— Vraiment? Malheureusement, je suis pris dimanche prochain, mais je vais voir si...

— De toute façon, c'est urgent, Tim. Nous t'attendons demain, trancha Laura.

Cette nuit-là, la jeune fille arpenta sa chambre pendant d'interminables heures, minée par le souvenir de leurs escapades d'enfants. Mais, même à cette époque-là, Tim se souciait peu d'où provenait l'argent, du moment qu'il obtenait tout ce qu'il désirait et Laura avait bien peur qu'il n'ait pas changé.

Elle appuya son front au carreau et regarda fixement le ciel sombre, chargé de pluie. Peut-être la mort de leur mère, quand ils étaient à un âge impressionnable, avait-elle déterminé ce déséquilibre. A moins que l'échec ait été en lui dès le départ. Seul un psychiatre, peut-être, aurait pu tenter de répondre à ces questions.

Laura se remit à marcher de long en large. Que ferait Jake quand il apprendrait la vérité? Si son frère risquait la prison, elle supplierait son père de ne pas dévoiler le nom du vrai coupable. Peu importait son bonheur à elle. Elle parlerait à Tim, lui ferait comprendre l'absurdité de son comportement... Mais il avait déjà commis un vol et s'en était sorti sans une égratignure. S'il restait libre cette fois encore, jusqu'où irait-il?

Cette question la tourmentait encore le lendemain soir quand, alors qu'ils finissaient de dîner, elle entendit le rugissement de la moto de son frère. Un instant plus tard, il entrait dans la maison, souriant.

— Me voici. Peux-tu me dire ce qui se passe? demanda-t-il à sa sœur.

— Je préfère que papa le fasse lui-même.

Il haussa les sourcils et la suivit dans la salle à manger. Devant le regard de son père, il perdit son sourire.

— Pas trop tôt! jeta John Winters.

Il repoussa son assiette et se leva.

— J'aurais dû me douter que tu ne resterais pas longtemps dans le droit chemin.

— Mais de quoi s'agit-il?

— Ne fais pas l'innocent. Nous sommes au courant, Laura et moi.

— Au courant de quoi?

— Des plans périmés que tu as volés chez Grantley, pour aller les vendre ailleurs!

Pendant un instant, Tim sembla chercher un mensonge à raconter, puis il haussa les épaules et s'assit à table.

— D'accord, je suis coupable.

Son père serra le dossier de sa chaise à en avoir les jointures des doigts blanches.

— Pourquoi, Tim? Pourquoi as-tu recommencé?

— Je pourrais vous donner des tas de raisons, mais elles se résument à une seule : l'argent. Tu avais raison, Laura. Mes conquêtes me coûtent cher. J'ai des dettes.

— Pourquoi n'es-tu pas venu m'en parler, demanda son père.

— Pour t'entendre me sermonner, comme toujours!

Le visage de Tim exprima soudain le remords...

— Excuse-moi, papa. Je ne voulais pas dire ça. En réalité, je ne voulais pas te décevoir une fois encore. Je devais de l'argent à tout le monde, et je ne voyais pas comment m'en sortir. Je savais qu'Harold Simpson était intéressé par les travaux de ses concurrents. Et un jour que tu parlais au téléphone avec Jake Andrews, j'ai compris que vous étiez sur un nouveau projet, très important. J'ai pensé qu'Andrews le détenait, alors j'ai pénétré dans l'usine par effraction.

Sa bouche se tordit en un tic nerveux.

— Tu es trop confiant, papa. J'ai trouvé tes clés qui traînaient et j'en ai fait faire un double. Tu ne vas pas me croire, mais j'espérais presque qu'elles ne marcheraient pas. Pourtant, j'ai pu pénétrer dans l'usine sans la moindre difficulté. Je ne pouvais pas imaginer que j'avais pris les mauvais plans jusqu'au moment où je suis allé trouver Simpson.

A ces mots, John Winters devint d'une pâleur mortelle.

— Tu veux dire que tu as apporté les plans à Harold?

— C'est pour ça que je les avais volés.

— Qu'a fait Harold? interrogea-t-il avec appréhension.

Pour la première fois, Tim parut éprouver du remords.

— Il a eu une réaction étonnante. Il s'est mis dans une colère noire et m'a passé le plus beau savon que j'aie jamais pris, en disant qu'il ne pousserait pas le fils d'un de ses amis à devenir un voleur.

Toujours logique, Laura demanda :

— Et s'il s'était agi des bons plans? Te les aurait-il achetés?

— Il n'aurait pas accepté, il me l'a dit sans détour. Mais il m'a offert de payer mes dettes et de quoi repartir à zéro en Australie.

John Winters se leva à demi de sa chaise.

— Il a fait ça!

— Moi aussi, j'étais sidéré.

— Et tu as accepté? s'enquit Laura.

— Tu penses! J'allais vous l'annoncer cette semaine. Mais je ne savais pas qu'on t'accuserait, toi. Comme les plans n'avaient aucune valeur, je pensais que Jake Andrews passerait l'éponge.

Tim s'approcha de sa sœur, et poursuivit :

— Je ne suis pas un frère modèle, mais je ne t'aurais jamais laissé accuser d'un forfait que j'avais commis. Surtout de cette gravité. Je vais aller trouver Jake Andrews immédiatement et tout lui raconter.

— Non! objecta Laura. Si tu y vas, il risque d'entamer des poursuites, et je ne veux pas que tu perdes tes chances de recommencer une nouvelle vie.

— Je n'ai pas l'intention de te laisser endosser la faute à ma place, l'interrompit Tim.

— Ne t'inquiète pas pour ça. C'est du passé.

Tim lui pressa la main très fort.

— Je ne supporterai pas de partir avant d'avoir blanchi ton nom.

John Winters passa le bras autour des épaules de son fils.

— Tu as parlé en homme, Tim. Je suis heureux.

Tim remonta la fermeture de son blouson.

— Où habite Jake Andrews? J'y vais de ce pas.

— A deux kilomètres d'ici. Après l'usine Grantley, prends la première route à gauche. C'est une grande avenue avec des maisons derrière de hauts murs. Jake habite la dernière maison, sur la gauche.

Tim leur fit un petit signe de la main et sortit. Ils entendirent la porte d'entrée claquer, la moto vrombir, puis le silence retomba. Laura et son père se regardèrent, les yeux pleins de larmes.

— Que va faire Jake, à ton avis? s'inquiéta Laura. Crois-tu qu'il portera plainte?

— Ça m'étonnerait. D'abord il va lui faire passer un mauvais quart d'heure; Tim ne l'oubliera pas de sitôt. Ensuite, il viendra ici te présenter des excuses. Autant que tu voudras, ajouta-t-il avec un petit sourire.

Laura se remémora ce lundi matin où elle était arrivée au bureau, décidée à avouer son amour à Jake. Que tout cela lui semblait loin! Il avait fait preuve d'un total manque de lucidité à son égard et elle n'imaginait plus pouvoir lui faire désormais un tel aveu.

— Ne juge pas Jake trop sévèrement, lui conseilla son père. C'est parce qu'il tient à toi comme il n'a jamais tenu à aucune femme qu'il a réagi ainsi.

— Tu sembles bien certain de ses sentiments.

— Je l'ai beaucoup observé depuis que tu as quitté Grantley. Un homme comme lui n'agit pas de cette manière s'il n'est pas au trente-sixième dessous. Crois-moi, ma chérie, il sera là dans moins d'une heure.

Le temps n'en finissait pas de passer, et Laura alla préparer du thé dans la cuisine pour rendre l'attente plus supportable.

Elle venait d'apporter le plateau quand on sonna à la porte. Laura regarda son père, qui se leva à moitié, puis se rassit.

— Je n'ai pas entendu de bruit de moto. Ce doit être Jake. Va ouvrir, Laura.

La jeune fille se dirigea lentement vers la porte et l'ouvrit. Jake se tenait sur le seuil. La pluie avait plaqué ses cheveux, et lui dégoulinait sur le visage. Il regarda Laura sans un mot. Elle lui tendit la main.

— Jake! Je suis si contente que vous soyez venu.

Il pénétra dans le vestibule. La lumière éclairait son visage et c'est alors seulement que la jeune fille remarqua son expression figée. Sa joie s'évanouit.

— Que se passe-t-il, Jake?

Mais il se contenta de la prendre par le coude et de l'amener au salon. John Winters se leva.

— Bonjour, Jake. Je suppose que vous avez vu Tim?

Jake hésita, l'air accablé par cette question. Il se redressa et parcourut la pièce des yeux, comme s'il avait du mal à les regarder en face.

— Oui, murmura-t-il. Oui... je l'ai vu. Il m'a croisé alors que j'allais à l'usine chercher des papiers. J'ai été surpris de le rencontrer là. Ce n'est pas sur la route de Manchester, mais j'ai pensé que vous l'aviez sans doute envoyé me porter ces graphiques que vous deviez vérifier.

Il s'appuya à la cheminée. Il était d'une pâleur de cire.

— Je me suis arrêté pour l'appeler, mais il ne m'a pas entendu; il pleuvait si fort. Alors j'ai fait demi-tour... Et soudain un enfant a surgi de derrière une voiture en stationnement. Tim a freiné à mort pour l'éviter et...

Mon Dieu, John, je donnerais n'importe quoi pour ne pas avoir à vous dire ça, mais il... il...

— Continuez, Jake, fit John Winters d'une voix blanche.

Jake baissa la tête.

— Il est rentré droit dans un mur. C'était la seule façon d'éviter l'enfant et il l'a choisie.

Laura vacilla et se retint à la table.

— Vous voulez dire qu'il...

Elle n'eut pas le courage de poursuivre et Jake acheva la phrase pour elle.

— Il est mort. J'ai couru, mais il n'y avait plus rien à faire.

Sa voix tremblait.

— Tim n'avait pas une chance de s'en sortir. C'était lui, ou l'enfant. Je sais que cela ne vous sera pas d'un grand réconfort, mais il est mort en héros.

Laura sut alors les mots qu'elle devait prononcer.

— Tim est venu dîner à la maison. Il a dû se tromper de route en rentrant chez lui.

— Laura! s'exclama son père.

Puis, au regard qu'elle lui lança, il comprit ce qu'elle défendait et détourna les yeux.

La jeune fille pensa que Tim n'avait jamais vécu en héros, mais qu'il était mort en héros. Et, malgré ce que cela pouvait entraîner pour elle, elle était fermement décidée à ne rien faire qui puisse ternir l'image glorieuse de la mort de son frère.

9

John Winters n'approuvait pas du tout la version que sa fille avait présenté à Jake. La semaine suivant l'enterrement de Tim, il l'informa qu'il ne se ferait pas complice de son silence, et Laura faillit accepter, dans un moment de faiblesse. Mais son amour pour son frère jumeau fut le plus fort et elle s'obstina à répéter que rien ne devait souiller son nom.

— Mais Tim voulait avouer la vérité à Jake, insista son père.

— Si Jake avait eu confiance en moi malgré les apparences, je ne dis pas. Mais traîner le nom de Tim dans la boue pour satisfaire mon amour-propre, non, papa.

John Winters n'aborda plus ce sujet, et ils tentèrent tous deux de reprendre une vie normale. Laura se sentait incapable de sortir de chez elle. Elle n'avait pas vu souvent son frère au cours des derniers mois, mais sa mort avait laissé un vide qu'elle ne pourrait jamais combler.

Elle se confia à Robert qui lui déclara :

— Il faut t'en sortir. Tu sais que je t'aime. Je voudrais t'épouser.

— Je n'éprouve que de l'amitié pour toi. Ce n'est pas suffisant pour se marier.

— Au moins, promets-moi d'y réfléchir.

A mesure que les semaines passaient, elle résistait plus difficilement aux pressions de Robert et était sur le point d'y céder quand Beth lui parla d'une offre d'emploi.

— Le ministère de la Santé fait une enquête sur l'alimentation des ouvriers du Nord. Tu as exactement les capacités requises.

— J'aurais à me déplacer souvent. Que deviendrait papa?

— Je veillerai à ce que ses rations de protéines ne souffrent pas de ton absence!

Beth avait à peine prononcé ces mots qu'elle parut gênée, et Laura se demanda si elle n'était pas amoureuse de son père. Elle faillit lui dire à quel point elle serait heureuse, mais retint ses mots.

Après l'envoi de sa lettre de candidature, Laura fut très rapidement conviée à entrer en rapport avec le professeur James, chargé du projet. Elle comprit que son séjour chez Grantley lui donnait un avantage sur les autres candidats. Huit jours plus tard, il l'appela pour lui annoncer qu'elle avait été choisie et en moins de quarante-huit heures, elle faisait partie du personnel.

Elle fut désormais trop occupée pour broyer du noir. Elle ressentait toujours un pincement au cœur en pensant à la mort de Tim ou en entendant prononcer le nom de Jake, mais elle comptait sur le temps pour effacer ses peines. Elle ne dépendait plus du tout de Robert.

Il s'écoula un mois de travail passionnant. Laura avait à rédiger un rapport sur son expérience chez Grantley et constata avec soulagement qu'elle pouvait penser à Jake en toute tranquillité.

Elle n'en fut pas moins contente, le rapport achevé, de reprendre ses enquêtes d'une usine à l'autre, malgré les kilomètres à parcourir et les rentrées tardives chez elle; quand elle n'était pas obligée de dormir en route, à l'hôtel.

— Tu travailles trop, observa son père un matin qu'elle avait, exceptionnellement, toute la journée devant elle.

— Ça vaut mieux que l'oisiveté. D'ailleurs, j'aime le travail que je fais. Si...

Elle fut interrompue par la sonnerie du téléphone et alla répondre. Le récepteur lui échappa pratiquement des mains quand elle reconnut la voix de Jake. Tremblante, elle s'appuya au mur.

— Je vais chercher papa, fit-elle d'une voix rauque.

— C'est à vous que je veux parler. Le professeur James me demande l'autorisation de publier votre rapport.

Laura eut du mal à avaler sa salive.

— Allez-vous la donner?

— Oui, mais je voudrais y ajouter deux ou trois choses. Venez en discuter avec moi. Je suis au bureau.

On aurait dit un ordre plus qu'une simple suggestion, mais Laura ne s'en formalisa pas. Son instinct lui soufflait qu'il agissait ainsi par pure timidité. Mais leur entretien ne serait supportable que s'il se maintenait sur un plan strictement professionnel.

Elle cria à son père qu'elle partait avec lui à l'usine et se rua dans sa chambre. Elle enfila un chandail vert qui donna à ses cheveux un éclat particulier, mais rehaussa la pâleur de son teint. Ne voulant pas donner à Jake la satisfaction de constater qu'elle n'était pas encore guérie de lui, elle se mit du rouge à joues.

Quand elle arriva au bureau de Jake, elle avait si soigneusement composé son visage qu'on aurait pu la croire en visite de routine dans l'une de ces usines où elle se rendait pour ses enquêtes.

Elle le trouva comme toujours en manches de chemise, puissant et bourru.

— Vous semblez en forme, Laura.

— Je le suis, fit-elle froidement. J'adore mon travail.

— Vous me soulagez d'un grand poids.

Malgré elle, elle leva la tête, indignée.

— Ne me dites pas que mon licenciement vous empêchait de dormir!

— Ne croyez-vous pas, Laura, qu'il serait temps d'oublier et de pardonner?

— Tout dépend de qui il s'agit, répliqua-t-elle.

Elle s'assit, heureuse de pouvoir dissimuler ainsi le tremblement de ses jambes, et reprit :

— Que désirez-vous ajouter à mon rapport?

Il lui tendit un classeur qu'elle ouvrit, désarçonnée de se trouver en face de graphiques.

— Qu'est-ce que cela représente?

— L'accroissement de notre production depuis votre départ.

Il lui désigna une courbe ascendante.

— Quand vous êtes partie, la cantine est revenue à un régime riche en hydrates de carbone. Un mois plus tard, la production s'effondrait. Alors j'ai décidé de faire marche arrière et de reprendre vos menus. Jugez du résultat par vous-même!

Les yeux de Laura s'écarquillèrent.

— C'est merveilleux! Je peux utiliser ces chiffres?

— Pourquoi pas? Ils prouvent que vous aviez raison.

Jake contourna son bureau et se planta devant elle.

— Aimez-vous vraiment votre travail, ma petite Laura?

Elle se sentit fondre devant la tendresse du ton de Jake et se retint de se jeter dans ses bras.

— Oui, vraiment. Il me passionne.

— J'en suis sincèrement heureux. Je voudrais que nous soyons à nouveau amis.

— Comment pourriez-vous être ami avec une voleuse?

— Vous n'êtes pas une voleuse. Vous vouliez seulement vous venger de moi.

— Et vous croyez que j'aurais pour cela fracturé votre bureau?

L'amertume lui mit un goût de fiel à la bouche.

— Je suis désolée, Jake. Même pour vous faire plaisir, je ne peux pas avouer un crime que je n'ai pas commis!

Le visage de Jake perdit sa cordialité.

— Faites comme vous voulez! Mais dites-vous bien que l'orgueil mal placé n'a jamais tenu chaud la nuit!

— Ça, c'est mon problème!

Elle rangea le dossier dans son porte-documents, et sortit en claquant la porte.

Cette scène, où Jake avait prouvé une fois de plus son aveuglement, affecta Laura au-delà de toutes ses craintes. Pendant plusieurs semaines, elle en perdit jusqu'au goût de son travail. Mais l'impression que quelque chose arrivait à son père la tira soudain de son engourdissement morose. Cet homme entre deux âges, seulement préoccupé de son travail, était en train de redevenir le bon vivant qu'il avait été avant la mort de la mère de Laura. Il n'existait qu'une seule explication à cette métamorphose : Beth, et la jeune fille ne fut guère surprise quand il lui annonça qu'ils voulaient se marier.

— J'espère que cela ne te sera pas trop désagréable, ajouta-t-il.

Comme toujours, il dissimula son embarras en nettoyant méticuleusement sa pipe. Laura lui sauta au cou.

— Je suis ravie! Beth est une femme merveilleuse.

— Je suis heureux de ta réaction. Je craignais que... Eh bien... que tu ne prennes ombrage de la présence d'une autre femme. Tu t'es tant ocupée de moi...

— Aucun danger, affirma-t-elle. Dès que vous serez mariés, je retournerai à Londres.

— Je comprends... Et Robert?
— Je ne l'épouserai pas. Ce serait un pis-aller.
— Jake, toujours?
La sonnerie de la porte d'entrée évita à Laura d'avoir à répondre. Elle courut ouvrir et trouva sur le seuil une Beth tellement inquiète qu'elle ne put s'empêcher d'éclater de rire.
— Bienvenue, belle-maman! Papa vient de m'annoncer la nouvelle. Je suis folle de joie!
Beth laissa échapper un soupir de soulagement.
— Dès que vous aurez fixé la date du mariage, ajouta Laura, je vous laisserai à votre lune de miel.
— Tu n'es pas obligée de t'en aller, protesta Beth.
— Que si! J'en profiterai pour retourner à Londres.
Elles entrèrent au salon. John Winters posa la main sur l'épaule de Beth.
— Apparemment, ma chérie, nous n'avons plus de raison d'attendre. A moins que tu ne tiennes à un grand mariage.
— Certainement pas! Mais Harold va être déçu. Je parie qu'il s'attend à une cérémonie digne de la famille!
— Eh bien, ce sera pour le mariage d'Elaine! Et si je ne m'abuse, il n'y en a plus pour bien longtemps.
Laura se raidit.
— Est-elle... est-elle fiancée avec Jake?
— Il paraît.
La première pensée qui vint à l'esprit de Laura fut de plaindre Jake. Il ne serait jamais heureux avec la jeune fille. Il lui fallait une femme responsable, pas une enfant gâtée. Mais Harold Simpson réaliserait enfin son rêve : Jake prendrait sa succession. Et alors il serait enchaîné à Elaine aussi longtemps qu'elle le voudrait.
La voix de Beth tira Laura de sa mélancolie.
— Marions-nous dans un mois. L'hôpital aura le temps de me trouver une remplaçante.

— Tu vas cesser définitivement de travailler? s'étonna Laura.

— Oui. Je m'occuperai de la maison. Et si je m'ennuie, je pourrai toujours m'intéresser à des bonnes œuvres!

Elles éclatèrent de rire et John Winters les regarda d'un air satisfait. Les deux femmes de sa vie étaient les meilleures amies du monde. La vie allait de nouveau être belle.

Au fond d'elle-même, Laura ne partageait pas ce bonheur. Elle devait s'avouer que la vie à Londres avait pour elle beaucoup moins d'attrait qu'autrefois. Elle s'était habituée à des rapports humains bien plus chaleureux que dans une grande ville où les gens se côtoyaient sans se connaître. Mais elle préférait mourir plutôt que de faire publiquement cet aveu.

Bien que Beth ait souhaité un mariage intime, il y avait au moins une cinquantaine de personnes à l'église le jour où elle épousa John Winters. Mais la présence de Jake et d'Elaine n'en était pas moins criante, et Laura attendit avec angoisse le moment où ils viendraient présenter leurs vœux à la famille Winters.

A peine la cérémonie était-elle achevée qu'Elaine se dirigea vers eux.

— Il paraît que vous repartez pour Londres? fit-elle. Vous ne pratiquerez pas aisément la spéléologie là-bas.

— J'aurai d'autres avantages.

Les yeux verts brillaient de malveillance.

— Jake m'a raconté votre mésaventure dans la grotte. Saviez-vous qu'on a trouvé un petit lac au fond du trou où vous êtes tombée? J'ai suggéré qu'on le baptise Lac de la Folie Laura!

Jake intervint alors d'un ton crispé.

— C'est moi qui ai proposé qu'on lui donne votre nom, puisque c'est vous qui l'avez découvert... Nous allons l'explorer demain. Serez-vous de la partie?

— Très volontiers! lança Laura d'une voix provocante. Ce sera ma promenade d'adieu.

La surprise de Jake l'amusa autant que la colère manifeste d'Elaine.

— Je viendrai vous chercher à dix heures, offrit-il.

Pendant tout le reste de la journée, Laura s'en voulut d'avoir, par pure provocation, accepté la proposition de Jake, mais il était trop tard pour changer d'avis. Malgré son énervement, son visage était impassible lorsque Jake vint la chercher le samedi matin.

— Désirez-vous que je vous serve encore de guide? s'enquit-il en montant en voiture.

— Pourquoi pas? répliqua-t-elle calmement.

Ils gardèrent le silence pendant un moment, puis elle se mit à parler de son travail.

— Le professeur James va vous regretter, observa Jake. Allez-vous reprendre votre poste à la clinique?

— Sans doute, mentit-elle.

En réalité, elle n'y avait pas encore réfléchi.

— En somme, tout rentre dans l'ordre! ironisa-t-il.

— Excepté que mon frère est mort et mon père remarié. Ce dont je suis très heureuse, ajouta-t-elle bien vite.

Malgré son apparente désinvolture, elle ressentit un grand soulagement quand ils furent arrivés.

Elle descendit derrière Jake dans les ténèbres du monde souterrain. Elle se sentait encore peu sûre d'elle et regretta de ne pas avoir davantage pratiqué ce sport original. Ce n'était pas à Londres qu'elle aurait la possibilité de s'y mettre sérieusement.

— Nous approchons, annonça Jake derrière elle.

Une étroite galerie longeait la paroi de la grotte. Elle surplombait une nappe d'eau miroitante, noire comme l'ébène, mystérieuse comme une femme voilée.

Jake sembla lire dans ses pensées.

— C'est très profond. Après le déjeuner, nous essayerons de découvrir la source qui l'alimente. J'adore découvrir l'origine des choses.

Il allait poursuivre, mais ils furent rejoints par le reste du groupe et tout le monde s'installa sur la galerie pour boire du thé chaud et manger des sandwiches. Quand ils se remirent en route, Laura ne peut s'empêcher de se rappeler le premier baiser de Jake. Comme ses sentiments pour lui avaient évolué, depuis!

Elle entendit sa voix, juste derrière elle.

— Nous devrions faire demi-tour. Voilà deux heures que nous sommes partis.

— Déjà! s'écria-t-elle.

— Eh oui! Le temps fuit quand on fait ce que l'on aime.

— Ne pourrions-nous pas aller encore plus loin? C'est ma dernière expédition.

Elle s'en voulut aussitôt de ce cri du cœur sur le sens duquel Jake risquait de se méprendre. Mais il ne fit aucune réflexion et revint en silence vers le bord du lac. L'eau avait monté en leur absence. Ils longèrent la galerie et grimpèrent les marches pour rejoindre les autres.

— Quelqu'un a-t-il trouvé la source? demanda une voix.

Il y eut un chœur de réponses négatives, puis un jeune homme désigna une trouée entre deux blocs de pierre.

— Elle vient peut-être de là.

Jake hocha la tête.

— Vous devez avoir raison. Nous verrons cela la semaine prochaine.

— Pourquoi pas maintenant? demanda le jeune homme.

Il regarda autour de lui.

— Etes-vous d'accord?

Cette fois, tout le monde approuva et Jake partit en tête vers la trouée.

L'eau coulait en torrent le long d'un tunnel courbe pour disparaître cinq cents mètres plus loin.

— Nous l'avons perdue, se désola Laura.

— Non, pas encore.

Et Jake lui montra un autre tunnel, à leur gauche.

— Si nous prenons cette direction, j'ai l'impression que nous allons trouver un torrent par là-bas, dit-il.

— Vous vous trompez, observa le jeune homme.

Il indiqua du doigt un autre tunnel.

— Je pense qu'il faut suivre celui-là.

Il s'y engouffra, suivi du reste de la troupe. Jake et Laura se retrouvèrent seuls.

— Nous verrons bien qui a raison, décida Jake.

Il se courba en deux et s'engagea dans le tunnel de son choix, Laura sur les talons.

Au bout de quelques mètres, ils émergèrent dans une petite grotte à l'extrémité de laquelle une cascade se déversait dans une nappe d'eau.

— J'avais raison, annonça Jake d'un air satisfait. La voici, la source de votre lac.

— Mais ce n'est pas possible. Nous ne sommes pas au même niveau.

— C'est plus haut, déclara-t-il.

— Plus bas, voulez-vous dire!

— Ce sera beaucoup plus haut sous peu. Attendez que l'eau ait fini de monter. Elle arrivera probablement là où nous nous trouvons et se déversera ensuite pour former le lac.

Pendant qu'il parlait, Laura observait l'eau et dut admettre qu'il avait raison. Comme toujours!

— Ça monte vraiment très vite, constata-t-elle.

— Il doit pleuvoir dehors, de sorte que le niveau s'élève. Venez, sinon nous allons être pris par les flots.

Le retour fut pénible pour la jeune fille qui avait le dos douloureux tandis qu'elle parcourait le tunnel, pliée en deux.

— C'est encore loin? s'enquit-elle.

— Juste quelques mètres. Le retour est toujours...

La fin de sa phrase se perdit dans ce que Laura prit pour un roulement de tonnerre. Elle leva instinctivement les yeux.

— Jake, regardez! s'écria-t-elle.

Il leva à son tour la tête et eut juste le temps de l'agripper par la taille en la poussant contre le mur. Le toit parut s'effondrer et une pluie de pierres ricocha autour d'eux dans un grand vacarme.

— Qu'est-ce que c'est? s'inquiéta-t-elle.

— Un éboulement. Il s'en produit parfois.

— Juste le jour où je joue les spéléologues!

Jake haussa les épaules. Le mouvement de sa poitrine écrasa les seins de Laura. Elle réalisa alors qu'il lui servait de bouclier et se demanda si ce geste de protection avait été instinctif. Dans le même temps, elle prit conscience de leurs deux corps serrés l'un contre l'autre et sa peur disparut. Elle s'aperçut que les battements de son cœur et le tremblement qui l'agitait provenaient surtout d'un violent désir.

La poussière se dissipa et Jake retourna sur ses pas. Ils avancèrent le long du passage en trébuchant, revinrent vers la trouée et s'arrêtèrent, frappés d'horreur. Un énorme rocher leur barrait la route.

— Qu'allons-nous faire? questionna Laura.

Elle voulait à tout prix garder son sang-froid.

Avant que Jake puisse répondre, le son faible d'une voix leur fit tendre l'oreille.

— Tout va bien? Nous entendez-vous?

— Oui! cria Jake. Comment vont les autres?

— Un peu secoués, mais tout le monde est indemne. Impossible de bouger ce rocher. Il faut que nous allions chercher de l'aide.

— Alors, faites vite, nous sommes en mauvaise posture!

Jake se tourna vers Laura.

— Retournons à la grotte et attendons.

Dès qu'ils l'eurent atteinte, la jeune fille remarqua que le lac tranquille s'était transformé en une masse liquide qui montait rapidement à l'assaut de la paroi.

— J'espère qu'ils vont pouvoir nous dégager, fit-elle d'une toute petite voix.

— Ne vous inquiétez pas. Je me suis trouvé dans des situations plus critiques.

Il leva la lampe au-dessus de sa tête.

— Asseyons-nous contre le mur, nous serons mieux.

Ils s'installèrent et Jake éteignit la lampe.

— Il nous faut économiser la lumière, commenta-t-il dans l'obscurité.

Il passa le bras autour des épaules de Laura et l'attira contre lui.

— Nous aurons moins froid ainsi, dit-il.

La jeune fille espéra en elle-même que c'était un prétexte pour la serrer dans ses bras. Elle ferma les yeux, les rouvrit aussitôt et ne vit rien. L'obscurité la paniqua. Elle se redressa d'un coup.

— Rallumez la lampe pour voir si l'eau monte toujours, demanda-t-elle.

— Ce n'est pas la peine.

— Je vous en prie, Jake.

Il obéit en grommelant et regarda en direction du lac.

— C'est à peine plus haut.

Malgré son ton posé, elle ne le crut pas. Sans qu'il ait pu faire un geste, elle s'allongea et se pencha au-dessus du vide.

Mais il n'y avait pas de vide. L'eau bouillonnait comme un chaudron de sorcière à quelques dizaines de centimètres.

Il la tira brutalement en arrière.

— Pourquoi tenez-vous à regarder?

— Je veux savoir la vérité. Si ce rocher reste là où il est, nous allons nous noyer.

— Ils vont le déplacer, assura Jake. N'ayez aucune inquiétude. Le principal est de ne pas prendre froid.

Laura se fit violence pour reprendre la position qu'elle occupait auparavant.

Jake remua à ses côtés. Il respirait avec mesure et la jeune fille comprit qu'il économisait son souffle.

— L'air se raréfie, murmura-t-elle.

— Je savais que vous vous en apercevriez, répondit-il.

— Nous n'y pouvons rien, murmura-t-elle encore.

Il resta muet, mais elle le sentit tendu.

— Je n'ai jamais songé à la mort, déclara-t-il soudain, mais si elle doit arriver, je suis heureux d'être à vos côtés.

— J'en suis également heureuse, répliqua-t-elle. Je vous aime, depuis longtemps.

— Vous êtes la seule femme que j'aurais voulu épouser.

Il lui toucha le visage.

— Si nous en sortons, acceptez-vous de devenir ma femme?

— Même si je suis une voleuse?

— Vous n'êtes pas... une voleuse. Je me fiche de ce que le gardien a dit. Vous êtes peut-être la seule rousse de Grantley, mais... ce n'est pas vous qui étiez dans mon bureau cette nuit-là.

Elle avait attendu longtemps cette phrase, mais le froid qui l'engourdissait l'empêchait d'en ressentir la moindre joie. Elle ne sentait plus son corps. Elle n'était plus qu'un esprit qui semblait flotter hors de son contrôle. Tim... Elaine... Jake... Il y avait tellement à dire, mais les mots ne venaient pas. Son cœur battait jusque dans ses tempes et chaque battement faisait une explosion qui devenait de plus en plus forte en résonnant dans la grotte, et en secouant le sol.

— Laura! cria Jake. Ne vous laissez pas aller, chérie! Ils essaient de faire sauter le rocher. Laura...

Le reste de sa phrase se perdit au loin. Une lueur fulgurante frappa les yeux de Laura, brûlante comme mille soleils.

Elle ouvrit les yeux avec effort et un monde de lumières se précipita vers elle.

— Dieu soit loué! fit une voix à l'accent irlandais. C'est merveilleux de vous voir ouvrir les yeux. Vous avez dormi une journée entière.

— Jake! cria-t-elle. Est-il vivant?

— Tout ce qu'il y a de plus vivant. Il a quitté l'hôpital ce matin, frais comme un gardon.

Tranquillisée, Laura replongea dans son sommeil.

Quand elle se réveilla de nouveau, son père et Beth étaient à ses côtés.

— Je vous croyais en voyage de noces, s'étonna-t-elle.

— Nous sommes revenus en entendant la nouvelle à la radio.

— Je vais assez bien pour quitter l'hôpital, maintenant, assura Laura. Promettez-moi de poursuivre votre voyage de noces.

— Nous le promettons, dit Beth. Maintenant, ferme les yeux et dors.

— Juste quelques minutes, protesta Laura.

Et elle s'endormait une nouvelle fois.

Quand elle se réveilla, elle pensa à Jake. Elle aurait voulu qu'il soit là pour lui répéter les mots qu'il avait prononcés dans la grotte. Elle eut une pensée de compassion pour Elaine et se demanda comment elle accepterait sa défaite.

La matinée s'écoula sans que Jake ait reparu. La jeune fille se sentit prise de panique et se précipita sur la sonnette sur laquelle elle continua d'appuyer jusqu'à ce qu'une infirmière apparaisse

— M'avez-vous dit la vérité concernant M. Andrews? Est-il vivant?

— Bien sûr, voyons! Je vous ai dit hier qu'il allait très bien.

— Je n'en étais pas certaine... Je pensais qu'il viendrait...

— Seule votre famille a été autorisée à vous voir. Mais je suis sûre qu'il viendra cet après-midi.

L'après-midi passa. Laura regardait sa montre toutes les cinq minutes. La nuit commençait à tomber lorsqu'on frappa à sa porte.

— Entrez, entrez! cria-t-elle le feu aux joues.

La porte s'ouvrir et la pâleur envahit son visage.

— Chérie! murmura Robert.

Il déposa une corbeille de fruits sur sa table de nuit.

La déception empêchait la jeune fille de parler. Robert attribua son mutisme à la fatigue. Laura se trouvait dans une sorte de brouillard. Soudain, elle se rendit compte que Robert était en train de partir.

— Je suppose que tu n'as pas changé d'avis et que tu quittes toujours Eddlestone? s'enquit-il.

— Pourquoi changerais-je d'avis? répliqua Laura.

— Parce que je pense que tu ne veux pas retourner à Londres. Tu pars uniquement à cause de Jake, n'est-ce pas? Tu es amoureuse de lui.

— Parlons d'autre chose, veux-tu.

Elle était au bord des larmes.

— Laura, je suis désolé, mais il y a longtemps que je savais que tu aimais Jake Andrews. Simplement, je ne voulais pas l'admettre. Quand je suis entré dans cette pièce, et que tu m'as vu, tu as paru si malheureuse que j'ai compris que c'est lui que tu attendais.

— Ce n'est pas vrai, mentit-elle. Je ne l'attendais pas.

— Alors, ça te sera égal d'apprendre qu'il est avec Elaine. Je les ai vus ensemble en venant ici.

— Que veux-tu que cela me fasse?

Laura faisait un effort terrible pour se contrôler.

— Tu sais, Robert, je suis encore très fatiguée, poursuivit-elle.

— Bien sûr.

Il se dirigea vers la porte, hésita comme s'il voulait ajouter quelque chose, puis sortit.

Dès que la porte se referma sur lui, Laura enfouit sa tête dans ses mains. Malgré sa rancune, elle savait que Robert avait eu raison.

Jake... Elaine... les deux noms résonnaient dans sa tête. Quelle folle elle avait été de croire Jake!

Elle entendit le bruit d'un chariot dans le couloir et la porte s'ouvrit.

— Je ne veux pas que l'on fasse ma toilette, fit-elle d'une voix faible.

— Je n'en ai nullement l'intention, répondit une voix grave.

Il sembla à Laura que le temps s'était arrêté. Elle leva lentement la tête et vit Jake. Il la regarda un moment en silence et déposa une gerbe de fleurs sur son lit. Elles glissèrent sur la couverture et tombèrent par terre.

— Elles vont s'abîmer, commenta stupidement Laura.

— Quelle importance?

Avant qu'elle ait pu réaliser ce qui lui arrivait, Jake l'avait prise dans ses bras. Il la serrait si fort que les boutons de sa veste lui meutrissaient la peau.

— Non, Jake, laissez-moi!

Mais il n'en fit rien et elle dut le repousser.

— Que se passe-t-il, Laura?

— Rien. Inutile de continuer cette comédie, c'est tout!

— Quelle comédie? Êtes-vous devenue folle?

Elle lui éclata de rire au nez. Puis son rire devint peu à peu hystérique.

— Laura, calmez-vous!

Il la secoua brusquement, se pencha vers elle et pressa ses lèvres contre les siennes. Elle cessa de rire et sursauta, puis se laissa aller en arrière.

— Pour l'amour du ciel, supplia Jake, dites-moi ce qui ne va pas.

— Rien du tout, murmura-t-elle. Nous ne sommes plus dans la grotte, nous n'allons plus mourir et vous êtes libre de retourner auprès d'Elaine.

— Et d'où tirez-vous que j'ai envie de la voir?

— Ne mentez pas. Vous venez de la quitter, inutile de me dire le contraire.

— Je n'en ai pas l'intention. Je devais la voir pour mettre les choses au point. Vous pensiez peut-être que je plaisantais en déclarant que je vous aimais? Je vous ai toujours aimée, mais je ne m'en suis rendu compte qu'au moment où j'ai cru que nous allions mourir. C'est ce que je voulais dire à Elaine.

— Un clou chasse l'autre, fit-elle amèrement.

— Libre à vous de le prendre ainsi. Mais je n'ai jamais demandé à Elaine de m'épouser. Je vous le jure. Quoi qu'il en soit, il fallait que je lui parle et, croyez-moi, ça n'a pas été une partie de plaisir!

— Elle vous a dit que vous brisiez sa vie et que vous étiez le seul homme qu'elle ait jamais aimé.

— A peu de chose près, reconnut Jake, décontenancé. Pourtant je ne le crois pas. Elle me voulait surtout parce que j'étais difficile à avoir.

— Vous m'auriez quand même laissée partir pour Londres, reprocha Laura.

— C'est certain, répondit-il.

Il sortit un petit carton vert de sa poche.

— J'avais l'intention de vous suivre. Samedi dernier le jour du mariage, je savais déjà que je ne pourrais pas vous laisser partir seule. Je voulais l'annoncer à Elaine, mais ça n'a pas été possible : elle est partie tout de suite après la réception pour voir une amie à Liverpool et je n'avais plus qu'à attendre son retour.

— Vous auriez suivi une voleuse jusqu'à Londres?

— Je vous ai déjà avoué dans la grotte que je vous croyais innocente.

Laura éclata brusquement en sanglots. Jake lui caressa les cheveux et lui baisa le front.

— Ne pleurez pas. Je vous aime.

Il essaya de lui lever le menton, mais elle enfouit son visage contre son épaule.

— Non, je suis trop laide quand je pleure.

— C'est faux, Laura. Vous êtes belle, très belle. Et vous êtes aussi brave et loyale.

Ce dernier mot sembla à la jeune fille tellement hors de propos qu'elle leva la tête vers Jake.

— Je sais tout pour Tim, commença-t-il lentement. Votre père est venu tout me raconter ce matin.

— Je ne voulais pas que vous soyez au courant.

— Je vous comprends. Je suis un idiot d'avoir douté de vous. Comment pourrez-vous me pardonner?

Laura ne put supporter l'humilité de ces paroles.

— Je vous en prie, Jake, fit-elle d'une voix tremblante. Je ne vous reconnais plus, vous que j'ai toujours connu brusque, sarcastique ou passionné!

— Quelle brute je fais! Ma seule excuse est que je mourais de peur de tomber amoureux de vous. Depuis notre première rencontre, je n'ai pas connu un instant de paix.

— Vous n'étiez pas obligé de vous battre contre moi.

Il eut un large sourire.

— Oh, que si! J'ai toujours été terrorisé par les rousses autoritaires!

— Je n'ai pourtant pas réussi à vous mener par le bout du nez!

— Mais ça ne vous empêchera pas d'essayer, répliqua-t-il.

Et il posa doucement ses lèvres sur celles de Laura. Elle répondit fougueusement à ce baiser et il se mit à lui caresser la gorge et les épaules. Quand les mains de Jake glissèrent sur la peau soyeuse de ses seins, elle eut un frisson de désir et se serra davantage contre lui. Mais il la repoussa sur ses oreillers avec un gémissement.

— Laura, s'il vous plaît! Je sais me maîtriser, dit-il d'une voix rauque, mais vous vous trouvez dans une position très délicate.

Il se leva du lit et alla vers la fenêtre.

— Ne me faites pas attendre trop longtemps. Marions-nous vite.

— Dès que vous le voudrez.

— Aussitôt que vous serez sortie d'ici. Je vais me procurer une licence spéciale et...

— Je ne peux pas me marier en l'absence de mon père, protesta-t-elle. Ça lui ferait beaucoup de peine.

— Pas le moins du monde. Je l'ai averti de ce qui l'attendait à son retour de sa propre lune de miel!

— Vous étiez très sûr de moi, me semble-t-il?

— Il le faut bien.

Jake était à présent tout près de Laura, sur laquelle il était penché à la toucher, le visage sérieux.

— En dehors de ma mère, poursuivit-il, vous êtes la seule femme que j'aie aimée. Maintenant que vous savez cela, vous me tenez à votre merci pour le reste de ma vie.

— A ma merci?

— Oui. Vous pouvez utiliser mon amour comme une arme pour me détruire, ou comme un bouclier pour abriter ma force.

— Je ne pourrai jamais vous faire de mal! s'exclama-t-elle. Jamais!

Il lui prit la main et la porta à ses lèvres.

— Serez-vous heureuse de faire votre nid à Eddlestone?

— Peu importe le nid, pourvu que vous y soyez avec moi!

Il explosa d'un rire joyeux que Laura ne lui avait pas encore entendu.

— Quand je serai le grand patron de Grantley, ce qui arrivera un jour ou l'autre, nous pourrons aller vivre à Londres.

— Vous ne serez jamais un Londonien, le taquina-t-elle. Vous resterez éternellement le diamant brut de mon amour.

— Que ce dernier mot me plaît! murmura-t-il.

Laura sourit.

— A moi aussi, mon chéri, si tu savais...

FIN